U0063319

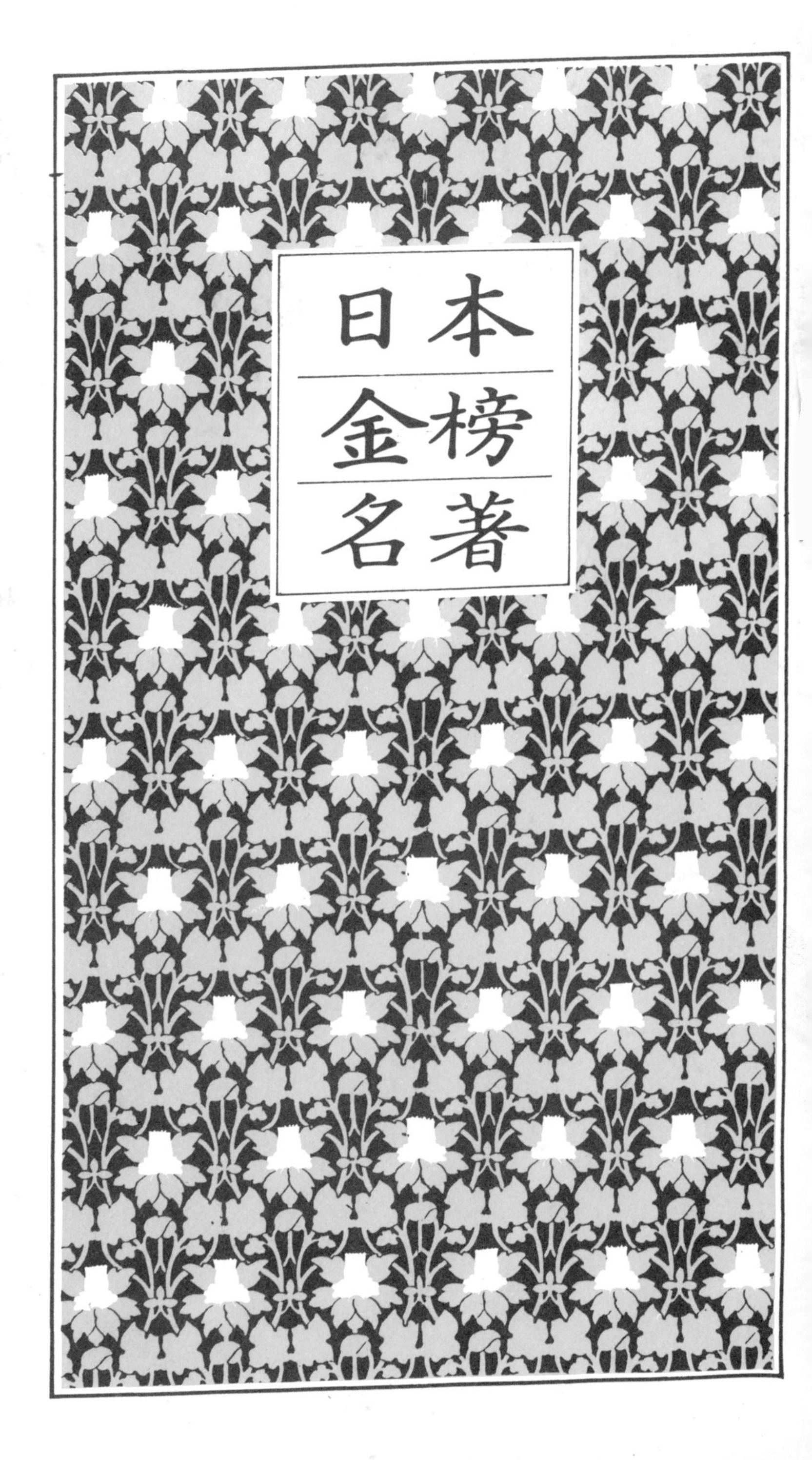
日本
金榜
名著

日本金榜名著

80

作者／高村薰

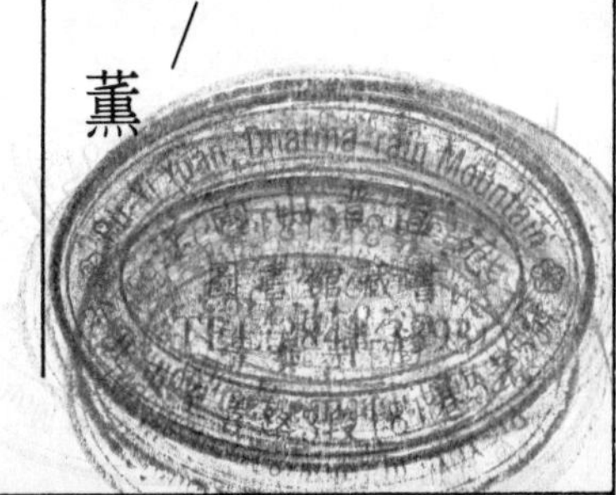

抱著黃金飛翔

黃金を抱いて翔べ

高村　薰

抱著黃金飛翔

過了一個漫長燠熱的夜晚之後，黎明起床，好像洗了一次蒸氣浴似的。

清晨五點半左右，從福島區的報攤出發的送報生，才跑了半個多小時，剛換上的襯衫已經溼透了。走過浪花路，到了架在土佐堀川上的常安橋時，不得不停下摩托車，拿起纏繞在脖子上的毛巾，擦一擦汗。河面反射朝陽的波光，刺入他的眼裏。

泥黃色的土佐堀川覆蓋著一片粼粼波光，在上游四十公尺的橋邊，漂浮著一樣東西，好像破布或垃圾袋。最近雖然被發現有魚群生存，但是大阪的河川不可能有一天完全沒有垃圾。好像有個硬塊隨著河水漂流著，仔細一看，不是垃圾袋，在混濁的河水下，有一個白色硬塊，緩緩地浮上來。

八月二十五日當天清晨，在大阪市西區土佐堀二丁目的土佐堀河上，發現一具男性屍體。

上午六點多，路過筑前橋的送報生A先生，發現橋墩附近有一具身穿西裝的男性屍體，根據A先生的通報，府警本部的警察立刻趕到現場，將屍體撈起來。附近圍觀了許多路人，使得交通一片混亂。

屍體的頭部受到槍擊，臉部也有被毆打過的痕跡，警方認定是暴力殺人事件，並且展開搜查

臺灣省立臺中圖書館

工作。這名男子叫做『楚要煥』，持有韓國政府發行的護照，警方連忙與韓國大使館連絡，以確認他的身分。

1

在雙筒望遠鏡的兩個鏡片中，感覺到自己的眼睛，包括自己的眼球和額頭上的每一根神經，太陽穴上的神經緊張地縮在一起，使得耳根附近也微微地緊繃著。幸田覺得自己彷彿看到了整個世界。

上午六點，將百葉窗稍微打開，裸眼眺望窗外的風景，過了一會兒之後，才取出望遠鏡。

昨天晚上住進飯店時，從窗口看到的就是阪神高速公路高架橋的路燈，下面的土佐堀川和中之島，以及對面JR大阪車站附近大廈的霓虹燈。土佐堀和堂島兩條河所夾的地帶是燈光較稀疏的中層公寓街，但是飯店坐落的這一角，卻是較繁華的商業區。昨夜被北川帶來的這家旅館，是一家外觀和名稱都想不起來的小旅館。

清晨六點不到就起床，立刻又往窗外瞧。入夏已有兩個多月了，天空顯得灰沈沈，露出夏末的顏色。白天從空調設備吐出的熱氣，經過了一個夜晚仍未散盡，黎明的第一道曙光就迫不及待地在天邊露臉了。

首先映入眼簾的是水泥地的環湖步道。道路樹的一端有一個男人，身穿銀灰色的工作服，正低著頭，慢慢地揮動著掃帚，沈著遲緩的動作，好像在祈禱似的。幸田無意識地凝視著，從他不停地左右擺動的臂膀上，幸田覺得彷彿看到了前所未見的忍耐和服從，這種感覺非常不可思議。不，曾在那兒見過，卻想不起來。

而且，幸田第一次發現清掃道路的工作是這麼早就開始。清道夫的身影在寂靜的街上緩慢移動著，轉眼間就被建築物遮住了。

幸田再一次凝視窗外的景致，道路細密而且不規則地交叉著，看了一會兒，終究是視若無睹。建築物高高低低，凹凸不平，這個城市實在太複雜了。這是條很難理解的街道。原本就只是看著一條完全陌生的街道。即使住了十年的街道，需要時還是要還以白紙從頭看起，一半是慎重一半是習慣。

半年前搬到關西，住的地方和工作地點都位於吹田市，相距有JR線十分鐘路程，所以，對於大阪市中心的情形，他瞭解得並不多。有了些方向感，但對那些商店、大樓等還不大清楚。

裸眼眺望了半個小時左右，阪神高速公路的高架橋在飯店窗戶的正前方交錯著，形成了一幅幾何圖形。飯店右手邊的馬路在二十公尺前方和高架橋相連。高架橋在土佐堀川之前分爲左右兩條。被前面的大廈和高架橋擋住了，從飯店的窗户看不見。昨晚經過時看到高架橋下有一個停車場，旁邊還掛著《每小時一百七十元》的看板。停車場的對面有一棟戰前遺留下來的石造大廈，河的這一岸有好幾棟相同的建築，可能是戰後大家紛紛仿建。這一帶聚集了好幾家老字號的證券公司和銀行，是片通風不良的地區。

在高架橋的另一側可以看見石塊，那也是一家銀行。從窗户看過去，只看見最上層和下面一層。從幸田的位置只看見建築物的西南角，這一角是地下停車場的出入口，一直敞開著。左側有一間警衛室、遮斷機，和一個紅燈。前方有幾棟建築物巧妙的連接著，這是幸田的視線正前方的一棟建築物。

這棟建築物或許就是北川突然邀他到這裏來的理由，幸田單純地聯想。超過這些的事就不敢想了。

比如説地點，建築物的四周都是道路，東邊和南邊是另外一棟大廈。北邊是河流，西邊是阪神高速公路。從對面中之島眺望過來，整棟建築一覽無遺。但是，問題是看有出入口的地上部分的角度。東邊和南邊的兩棟大廈就變成重點。

尤其是東邊的大廈，高度約是銀行的一倍，應該有十四、五層高吧！幸田的位置可以從最上面一層樓看到第三層的天花板，在百葉窗內亮著數百支的日光燈，這個時間還在工作，大概是從事期貨交易的場所吧！總之，大樓內的各種設施也跟著在動，也有可能是管理公司、保全公司。

幸田再度眺望遠處，從飯店旁邊的街道、周圍的大廈、高架橋，到土佐堀川這一大片地區，然後如往常一樣取出望遠鏡。

先是隨意看看，大致上首先注意到的是窗户，在高度成長時代建築的大廈，窗户大多是整面的玻璃牆，七〇年代的大廈幾乎是以窗户來代替牆壁；進入八〇年代之後，窗户就越來越小了。從窗户不僅可以看出大致的建築年數，甚至連內部的設備和設施也可以揣測得大概。這是決定目標後所做的第一件事。

『你還在玩啊！』北川帶著呵欠聲說。

北川在一個小時前從隔壁的房間進來，但是嘴裏嚷著：『睏死了！』又往床上躺去。

幸田移動視線，盯著河面。大概是退潮，水面下降了四、五十公分，有一艘浚渫船正往中之島的岸邊駛去。這樣的景觀在白天已經看過無數次了。船一駛過時，攪動河底的污泥，大概是風向的緣故，傳來一陣陣的惡臭。

想要打開窗户，但是窗子上鎖了，壞了就算了，反正也不想動手，正覺得失去耐性時，突然間，從望遠鏡裏發現裸眼時所没有看見的東西。銀行的屋頂有一間機械室，百葉窗敞開著。

立刻將望遠鏡調到最高的倍率，從百葉窗的縫隙間看見房間大致的擺設。有四架大機械，粗鋼絲所牽引的纜車，詳細功能並不清楚，但是可以清楚地看見齒輪軸和飛輪。那可能是升降機的捲揚機，幸田大致瞭解升降機的構造，但是捲揚機的實物卻是第一次見到的，所以讓他非常感興趣。房間裏還擺著其他像是操縱桿的箱子，大概是控制盤或替續器盤吧！

這個有著窗户的小房間位於建築物屋頂的正中央，看起來像個四方形。

『看到什麼有趣的東西了嗎？』

北川好不容易起床了，梳梳波浪狀的捲髮，一邊伸了個大懶腰，腦子應該已經完全清醒了。北川是一個長得一副娃娃臉模樣的男人，這一點使他到處吃得開，但是仔細看，即使是剛醒來也看得出精明的神情，尤其是那雙眼睛，即使還迷濛不清，仍然不失明亮的色彩，好像鑲了上等的水晶體似的。

『六點半了嗎？又到了上班時間。』

北川一邊説著，一邊走到窗户邊來。『喂！看看那一座停車場的入口，一輛車子正從那兒駛出來。』

幸田將鏡頭轉向剛才看見那棟建築的西南角，這時候才第一次看見人影。一位守衛從警衛室走出來，向大馬路打量著。大概是值夜班的緣故，站著連續伸了兩個懶腰，他是一位身材瘦小，一副營養不良模樣的男人。雙手繞到背後，開始做深呼吸，突然往東邊看了一眼，立刻回到警衛室，然後拉起遮斷器，這時候馬路的東邊出現了一輛車子。

『你看，就是那一輛，看得見表情嗎？』

『看不見！』

因爲方向盤在右邊，臉正好在窗户的另一側，雖然車子已經減速，但是一刻也未停止的穿過遮斷機，消失在地底下了。

『幸田，那個男的住在吹田。在南千里的高台，從我的公寓可以看得見。有三個女兒。』

『他是誰？』

『國際部次長。』

『是外貨資金操作嗎？那一定是個吸血鬼了。』

『還不只呢！最近銀行的投資部門非常進步，和同系列的住田證券相互提攜，連金錢的期貨交易都做起來了。所謂流行的黃金證券。住田商事增設金錢的進口部門。還有，和他們同行的住田倉庫是東京交易所指定的黃金保管業者，你知道嗎？』

『完全不知道。』

『知道嗎？幸田，這一點很重要。那家銀行的地下室，有一部分是住田倉庫株式會社委託所管理的。』

『你的意思是說……那裏會有金塊？』

『一公里平方的面積藏有六噸金塊，金額上百億，報紙曾經報導過。庫存量和田中貴金屬比起來算少的。』

『真的！』

『你的看法如何？』

幸田回答說也就是說設有價值百億圓的警備。

北川點了一根煙，繼續說：

『幸田，我的計畫是先找出守備上的破綻，找不到的話可以製造，攻擊時採同時多發式。例如，點亮大廈中的每一盞警報燈，使負責監視的傢伙們不知道事故到底發生在哪裏。這是最基本的作法。』

『需要很多人手嗎？』

『目前連你算在內需要五人。也許需要六人。潛入內部要三人，外面要兩人……』

『買愛國獎券還比這個有希望！說那種有的沒的！』

『你真這麼想？那更是非做不可！六噸的金塊，只要能夠找到四、五噸，我就心滿意足了。』

『一公克算一千九百日圓、五百公斤則不到十億。五噸的黃金換成鈔票，堆起來大概像一座小山那麼高吧！』

『如果是現金，我才不想幹；但是金塊就另當別論了。』

北川聳動寬厚的臂膀，笑了起來。北川到那兒都是鶴立雞群，身高一百八十五、六公分，比幸田高了十公分，體重八十公斤，也重了二十公斤，外表看起來稍嫌笨重。但是神經卻是相當敏銳，動作也很靈活。學生時代是業餘的爵士合唱團，有人說他擅長黑人歌曲。不只對音樂的感覺靈敏，生活方式或思考都是活力源源不斷。

相較之下，幸田顯得頑固而冷酷多了。這就是北川邀他的主因。

『今天也很熱呢！』北川說著，額頭上的汗水一顆顆地落下。

幸田再度瞇起眼睛，從銀行大廈的屋頂上，突然射出一道強烈的陽光。銀行的石片換上薄薄的橘黃色，土佐堀川的河面上閃耀著一片盛夏的金黃色。

幸田雖然是個道地的東京人，但是對於大阪的氣候水土並不排斥。其實是兩邊都不喜歡，不論都市或鄉村，只要有人的地方他都不喜歡，他一直想要找一個沒有人的淨土，世界上應該還有這麼一塊完全屬於他的地方吧！還有一年就將邁入三十歲了，希望這個心願能及時完成。

『想不想做呢？』北川說。

『看計畫而定吧！』幸田回答。

『計畫慢慢再來想，這需要花費一點時間。』

『你的腦子裏應該有個底吧！』

『嗯！不管怎麼說，我們兩個人都是潛入組，其他的傢伙可能很難勝任，只能讓他們做一些粗活。』

『我不是說了嗎？看計畫而定！』

『知道了！你最近總是答應得不爽快，你再考慮看看。』

昨天晚上，爲了住進這家飯店，故意打扮成生意人的模樣，穿上唯一的一套西裝，和僅有的一雙皮鞋，空蕩蕩的皮箱裏放著一副望遠鏡。和北川兩個人一起離開飯店。北川爲了要到貨運公司上班，所以去搭地下鐵；幸田攔了一輛計程車，回吹田的公寓。他任職的倉庫公司九點才開始上班，所以現在去公司還太早。

計程車和往常一樣停在JR線吹田車站北口的朝日啤酒廠門口，然後爬上往片山町的坡道，約走五分鐘左右，越過了高台的平原之後，再下坡走到在市民醫院後門的公寓。

幸田每天上下班必須步行十分鐘左右，原因是在高台上可以將市街的風景一覽無遺。在眼底擁擠的泥黃色屋頂之中，最突出的是一間天主教堂的尖塔，這間教堂曾在昭和四十年發生過一次火災，燒到只剩尖塔部分，後來再重建。現在住著一位救贖修道會的修女，昭和四十年當時是住著一位北大阪教區的年輕神父，幸田還記得這位神父老是穿著一件很奇怪的黑色長袍。他每天穿著黑色長袍，走在幸田現在所走的這條路上，來回探望附近的養老院或其他養護設施。開始懂事以來就依稀記著他每天都這麼做。

他住在教堂隔壁一棟兩層樓建築，一樓是集會所，供主日學及婦女會使用，經常有人在那裏進進出出。

幸田則住在距離教堂約兩分鐘腳程的小巷子裏，這是一條連車子都開不進來的窄巷，從這裏仍看得見教堂的尖塔。

附近的老太太每逢星期天都會拿著白手帕、黑皮包到教堂做禮拜，三個孩子們也跟著去。回來時，每一個人口袋裏都裝滿了糖果。有時還會爲了分糖果而吵架。

幸田從來不曾上過教堂，母親也不強迫他去，但是他知道母親私底下也常上教堂。但總在大家都去的星期日之外的時間去。母親叫幸田在教堂對面的站牌等，自己一個人上了教堂的石階。過一會兒就看到母親向神父頻頻點頭道謝，下了石階。

這是他童年的全部記憶。不知從何時開始，神父不見了，大概是教堂燒掉了，他沒地方住吧！

幸田沒有半點感慨和悲傷，對於這塊五歲就離開的土地，他懷著深深的憎惡。當他爲了工作，決定移居大阪時，就下定決心除了這個地方，住任何地方都可以。

回到租的公寓，發現關了一整晚的房子，竟然變成熱氣和濕氣的洞窟。打開窗户之後，一股熱風迎面吹來，雖然時序已進入八月底，天氣仍然如此燠熱，莫非此地是日本的熱帶。朝日大樓巨大煙囱的紅白條紋，像要爆炸似的閃著白光。

八月二十五日星期五，是個領薪水的日子，一般職員的薪水都是直接匯進銀行的戶頭，但是兼差打工的人則領現金。下午暑假打工的學生們陸陸續續來到事務所的出納窗口，領取一個個裝著現金的信封。

事務所旁的倉庫是一棟兩層樓的建築，大約有八百坪左右，由附近的進口食品公司和塑膠容器製造廠所委託管理的，另一半是短期寄放用。倉庫外還有三百多坪的空地，堆滿了市內大型批發商的啤酒瓶。

幸田這兩個月來一直在倉庫外，負責酒瓶的搬運工作，與其待在平均氣溫四十度的倉庫內，從事瑣碎的品管和包裝作業，倒不如在大太陽下操縱起重機，將貨從卡車上卸下來。但是，最近適逢中元節和啤酒的旺季，所以永遠有卸不完的貨。額頭上綁著一條毛巾，另外一條披在臉頰上，身穿長袖的工作服，手上戴著厚厚的工作手套，幸田確實感受到已忘了一陣子的驕陽的威力。人、土地、天空，連起重機的引擎聲都被熱瘋了。

幸田寧可自己被燒盡。雖然好像身處於高溫殺菌的滅菌狀態，實際上反而是藏在內心深處的被更激烈的攪拌出來。一星期前，北川趁公事之便來找他談『工作』時，幸田忍不住暗想『你終於來了』。

雖然身體狀況一切正常，但是又累又熱，使他沒胃口，瘦了好幾公斤，幸田也未曾察覺到身體有什麼變化，直到有一天，平常很難得說話的春樹，突然對他說：『你看你瘦得肋骨都跑出來了！』

午休後，在門口碰到了，到事務所來領薪水的春樹。春樹和往常一樣，面無表情，連聲招呼也不打，呆立在領薪窗口前。事務所的女職員向他搭訕地說：『小春！工作累嗎？』春樹輕輕搖搖頭，不置可否。幸田認爲一個十八歲的男人，不應該老是被叫小春，但是事務所內大大小小都這麼稱呼他，只有幸田叫他『北川』。但爲了和他哥哥有所區分，所以只叫他名字。但平時很少交談。

春樹唸到高二就休學了，成天遊手好閒，兩個月前，北川把他叫到大阪來，強迫他去工作。他在辦公室裏做的是分類和寫通知單這類單純的工作。辦公室裡的同事們都認爲他表現尚可。雖然北川說他的弟弟從幼稚園開始就有自閉的傾向，但是，幸田看他的穿著，覺得春樹滿用心的，有一些基本的自我表現慾。總之，和同年齡的傢伙比起來，他的確有些奇怪。

也許北川認爲大概和自己一樣。從談話中可以感覺到他對弟弟有著一股難以言喻的感情。曾說過他擁有自己所沒有的。

春樹顎頂著停放在屋外的起重機，難得的對幸田說：『你爲什麼工作得如此賣力呢？』

『我知道你不工作也有錢吃飯！』

『没想像力，也不知道不做事的話會做出什麼勾當來，你呢？爲什麼工作？聽你哥哥的嗎？』

『我要多存一點錢。』

『要買什麼呢？』

『一輛摩托車。』

『需要多少錢？』

『一切雜費加起來，大概要六十萬！』

『只要再做兩個月就到手了。』

春樹沈默了數分鐘之後，嘴裏喃喃唸著：『這裏簡直就是地獄。』

這是幸田認識春樹以來，第一次最像談話的交談。幸田看著春樹，他和往常一樣面無表情，但是額頭和脖子上的汗水不斷滲出來。

『大阪真是熱啊！』幸田不痛不癢地說著。

『如果能喝杯生啤酒該多好！』春樹說著，嘴角露出一絲笑意，然後快步爬上倉庫的二樓。

傍晚接到北川的電話：『下班後，我請你喝杯生啤酒吧！』『上回談的事，做個結論吧！』

北川住在南千里一棟十二層公寓的第十層。幸田搬到大阪之後，第一次到這裏拜訪，也第一次見到北川的太太和孩子。認識北川很久以後，才知道他已經結婚生子。大學時代不同科系，也沒有參加同一個社團，他們會湊在一起，完全是工作的緣故，實在想像不出他有家室。北川長得還算英俊，從很早開始就一直緋聞不斷，現在看到的和幸田平時看到的不同，顯得平凡極了。不同的是和太太、小孩在一起的公寓生活。

大門一開，就聽見北川四歲兒子的招呼聲：『望遠鏡叔叔！』以前受北川邀請時，幸田偶爾會隨身攜帶望遠鏡，四歲的小孩子對這個玩意很好奇，於是給他取了這個綽號，從此以後，幸田每次到北川家裏，必定帶只望遠鏡。

『今天沒有帶來！』幸田說。

『討厭啦！討厭啦！』孩子一邊嚷著，一邊用力捶打幸田的膝蓋。北川的妻子連忙從廚房走出來，將孩子拉開。『小悠！不可以對叔叔不禮貌。』北川的妻子名叫圭子，長得一張娃娃臉，身材苗條，幸田認爲這是北川交往的女人中，長相最平凡，但是氣質最好的一位。娃娃臉配上一副好身材，聲音也很柔細。

玄關多擺了一雙不是北川的鞋子白色旅狐。北川帶了一位幸田從未謀面的朋友。他的笑聲洋溢在起居室裏。

『幸田，我幫你介紹，這個傢伙叫野田。去年在南港的進口車展覽會場上認識的。這傢伙開的是富豪七四〇，是最新型的。』

『貸款買的，別說得這麼大聲。而且，在促銷期間，以百分之三的優惠價格買的。』買的時候覺得應該是像你一樣的人才配，本來還想算了的。

野田說著，爽朗地笑了起來。在沙發上伸長身子，伸出手來。站起來的話，應該和幸田差不多高。一副鍛鍊過的體格。很都市化，而無半點鄉土味。對幸田說：

『我叫野田，請多多指教。』

『我叫幸田，請指教。』

握完手之後，野田又笑了起來。幸田端著啤酒杯，重新打量眼前這個陌生人。應該不是花花公子，但是開著新型富豪的男人，看起來就是流氣而自負。這一點倒引人注目。

北川走到客廳角落的音響旁，放了一張CD，頓時客廳裏充滿爵士樂氣氛。

野田聽了說：『我最喜歡這種音樂。』說著膝蓋就緩緩地搖擺起來。幸田觀察著，將整個身體埋在沙發裏的北川覺得心裏有塊硬物梗著。因爲北川的眼神就像脫掉毛皮的野獸一般。他放CD只是爲了不讓人家談到他的家庭。

『喂！幸田，你猜猜這傢伙的職業是什麼？』北川打破沈默。

『外商公司的業務員。』幸田隨口回答，其實他真正想說的是『無業遊民』。

『哈哈！猜錯了！』北川一副樂在其中的模樣。『完全看不出來也好。這個傢伙是辦公室電腦的修護師，他進出市內的辦公大樓，就好像在自家庭院散步一樣頻繁。』

幸田不得已地發出一聲附和性的讚嘆聲，這種因爲社會地位而表現出自負模樣的傢伙，他的自我矛盾應該和他的自負成正比。

『沒什麼啦！和大家一樣靠體力賺錢。』野田這回倒是謙虛了。

『住田銀行的總公司也是你的勢力範圍嗎？』北川問。

『是呀！那個鬼地方的麻煩最多。』野田笑著說：『住田是一棟老舊的建築，裏頭有不少死角是老鼠窩，所以電纜常被鼠輩咬壞。』

『喔……，你對整棟大樓的電纜鋪設熟不熟悉？』

『我並沒有整棟都摸遍，不過應該大致相同！』

『你能不能畫一張簡圖，讓我和幸田瞭解一下？』

野田接過北川遞給他的白報紙，用原子筆在紙上畫了一個四角形的箱子，一邊說：『這是電纜端子。』然後，從箱子描下幾條線，又畫上梯子狀的線段。

『每一層樓都有這樣的裝置，與地下的交換機相連接，所有的電線可分爲幹線和支線兩個系統，通信網線也有兩個系統。』

『通信線路最重要，因爲它和各種警報裝置及保全公司相連接，應該從那裏切斷，才能消除通信網路？』

『在我知道的範圍，一旦網路被切斷，警報器立刻會響起，電腦本身是不用談了，連日本所有銀行的自動提款機都會亮起紅燈。』

『可是，警報裝置不切斷，我們是絕對進不去的。』

『所以必須找一位像我這樣的專門人才，否則切錯地方，事情就難辦了。』

『你認爲應該從什麼地方切斷呢？』

『依我的看法，最好是從埋在地下的共同纜線著手，讓警衛人員以爲是外面的問題。』

野田說起話來，一副嘻皮笑臉的模樣，讓人摸不清他到底說真的，還是吹噓而已。如果這就是大阪式的想法。北川也要退縮了。幸田則在一旁看呆了。

但是，北川卻一副正經八百地問：『你以前曾提過北濱四丁目道路工程，那就是電纜的鋪設工程嗎？你所謂的地下共同電纜，就是在那裏嗎？』

『位置應該差不多，但是，我不敢保證住田所使用的電纜就是那一組。共同溝用的是另一條管子也說不定。』

『所以，必須先潛進地下看一看，找到致命的一條電纜。這項工作非你莫屬了。』

『切斷送電的地下電纜很簡單，但是一般的大樓都裝有自動發電機。如果切斷電話線，警報不至於會外流，但因爲有自動發電機，警報器和警報燈還是會立刻響起，馬上就被警衛人員發現了。』

『職夜班的警衛頂多只有二、三人，要處理掉很容易。』

『處理？』

『難道讓他洩密？』

『看你那副嘴臉。』野田盯著北川看。

『就是這種臉啊！』北川伸出自己的臉，結果兩個人一起笑出來。野田終究只是在開玩笑而已。

『不用擔心，這邊由我和幸田負責。』北川繼續說。『幸田這傢伙看起來像個白面書生，做起事情來卻幹勁十足，我和他已經合作十年了。』

『嘿……，我知道他相當優秀。』野田客氣地回應，接著又開始對北川說：『我好像還沒有說我已經決定參與這項計畫了。』

『你什麼時候才能決定呢？』北川問。

『再多喝一點酒吧！喝醉之後，大概就會答應吧！』

『這個簡單，趕快喝吧！』

北川開了一瓶啤酒，爲野田倒滿一杯。野田一邊喝一邊笑鬧著。幸田覺得他不平衡的心態反應過度，太過於神經質；而北川故意扭轉話題又太善於精打細算，兩個人之間半信半疑互相試探著對方。相較之下，自己顯得單純多了。

突然發覺身體晃動一下，原來北川發現他的杯子裏啤酒已經喝完了，就主動爲他倒滿，這個傢伙真是機靈。

『又在一個人胡思亂想了！』北川嘟囔一句，視線立刻又回到野田身上。

『野田！有一件事很重要，如果停電的話，電梯也不能動，那就非常麻煩了，因爲我們必須從地下室將重達五百公斤的東西運上來。』

『一般的電梯都有獨立的自動控制發電機，一旦有任何異常狀況發生，可能會自動封鎖。』

『有沒有只用在電梯的自動控制裝置？』

『這個問題只能問那個老頭子了。』

『老頭子是誰？』幸田插嘴問。

野田回答：『我的朋友，去年爲止一直在一家電梯修護公司上班，每月要定期維修一次電梯之類的工作。雖然年紀一大把了，還挺有魅力的，經常一起喝酒，可以一口氣喝下半瓶伏特加而面不改色。』

『野田介紹給我的，最近才認識的。』北川繼續說：『現在任職於建設局的公園管理所，說得明白一點，他的工作是打掃街道或公園。但是，你可別小看他。有一回我遇見他，看到他的口袋裡有一本文庫本的小說，我問他在看什麼書，他說是桑原武夫的作品，還一本正經的說在監獄裏學會看書的。那種口吻並不是一般人學得來的。』

一聽說是清道夫，幸田立刻想起前幾天看見沿著土佐堀川打掃的那個人。總覺得北川他們談及的老頭子跟他有關連。

北川放下手中的啤酒，從沙發中坐直起來。因爲酒精的作用，使得他滿臉紅通通的，說話聲音鏗鏘有力。

『你們兩位都給我聽著，不論停電、切斷通信電纜、發電機故障，所有意外我都想一併做。以外部事故來掩飾內部事故。所以外部事故越大越好，讓修護人員無法掌握原因，分散注意力。喂！野田，中之島的變電所如何？就在附近吧！如果破壞的話，銀行的停電就是小巫見大巫了。』

『你的腦袋瓜是不是有問題？』

『我没有問題，唯一的問題是值不值得這麼做。』

『當然不值得，爲了找金庫把每間房子都燒了，天下還有這麼笨的人，還沒燒到金庫以前消防車就全到齊了。』

『我又沒說要燒看得到的，只要燒周圍的就行。』

『變電所的設備我不瞭解，如果你真的想做的話，我幫不上忙。』

『這一點你不用擔心，我另有人選。』

『另有人選？』

『是幸田的朋友。幸田，桃太郎近況如何？』

『你是說桃子嗎？經常看到，他還活著。』

幸田回答，但是心裏想著已經有好一陣子沒有看見桃子了。他記得最後一次見到桃子是在星期二，當時他出了一點事。幸田從房間的窗口可以看到桃子的房間，但是從那天之後，再也沒有看見桃子回來過了。

『這傢伙叫做桃太郎？』野田問。

『是呀！因爲不知道他是打從哪裏來的。』北川回答。

『真的嗎？那豈不是個外星人或**ET**了嗎？』

『我只知道他是工大的研究生，在附近的豆腐店打工。喂！幸田，他應該放暑假了吧！他有沒有回家呢？』

『不清楚，大概會留在學校的圖書館讀書吧。』

『你說他在豆腐店打工？』野田不厭其煩的又問。『研究所的秀才跟我扯得上什麼關係？莫非他是左派份子，或是革命團的呢？』

『都不是。』幸田回答，但若被追問他是誰，自己也回答不上來。他並不想說，因爲他認爲討論桃子毫無意義。

『他並不是個學生，只是研究生或助理，關於他的背景，我們談得並不多。我們是在一個很偶然的機會，在秋葉原的工具專賣店認識的，有時候會聊上幾句。有兩、三天不見人影？好像出了點兒事。』

『是什麼事？』北川的反應特別快。

『不清楚，不過……』

幸田謹慎起見故意敷衍。三天前桃子發生的那件事，他也沒有對北川說。因爲這是個人隱私，他有必要爲桃子保密。只是他到底發生什麼事了？

『看來是個頑固的傢伙！』野田說。

『從來沒聽過他有什麼桃色糾紛。幸田，那傢伙會自製炸彈吧！』北川笑著對幸田說。

『大概會吧！只要我們幫他把材料準備齊全。』

『太好了，每一個人都各施所長，野田你是絕對沒問題了，我和幸田合作多年也一定能夠勝任，老頭有老頭的工作，桃太郎也有他的專長，只要把這些人都集合起來，訂好計畫，相信一定會變得很有趣。來！我們先喝個痛快吧！』

北川到廚房拿威士忌和冰塊，這時候房門開了一個小縫，一個只穿著小短褲的孩子探出頭來，大概是剛洗好澡，頭髮還溼答答的，身上還擦滿了痱子粉。

『祐一，刷牙了嗎？』北川從廚房傳出斥責聲。『刷了！』小孩回答，但是又轉頭向著幸田和野田的方向伸伸舌頭，笑著說：『沒有刷！』

『小祐，頭髮溼溼的，趕快去叫媽媽幫你擦。』野田說。

『擦過了！』

『你又說謊了，這麼濕，怎麼可能擦過了呢？』

野田讓孩子坐在他的膝蓋上，輕撫著溼答答的頭。野田看起來不像是一個喜歡孩子的男人，他大概比較喜歡在女人堆裏鬼混。但是，這個孩子好像滿喜歡他的，以至於將幸田和望遠鏡一起拋之腦後。

幸田的腦袋瓜裏除了白天的燠熱和升降機運轉的聲音之外，就是剛才談的爬銀行石塊用的纜線、地下共同溝、電梯的鋼索等。這些每一項都活生生地佔據了他的肉體，已經好久不曾感到如此活力充沛、幹勁十足了，宛如世界在一瞬之間變得鮮明起來了。

平常他總要躺在床上，一邊呻吟著『好熱、好熱』，一邊不停翻滾，今天晚上的情況大概有所改變了。百億圓的金塊可以暫時置之度外，但是破壞百億圓警備的夢，可要持續一陣了。

北川回到客廳時，拿來了一瓶新開的洋酒，和一盤炒花生。

北川的妻子出來將孩子帶了進去。

夜深了，但是陣陣的和風熱度仍未消滅，凝聚高濃度酒精的汗滴不斷沁出，連椅子上的扶手，都被手臂上流下來的汗水給弄溼了。

『喂！幸田，你發表一下意見吧！』

『我完全同意。』

『不同意也不行呀。接下來要開始進行詳細計畫了，你必須把你的條件列出來。』

『沒有什麼特別要求，唯一條件是每一個人工作均等，利益均等。』

『太好了，就這麼決定。』

北川伸出手來，幸田握了那隻手。北川也用力回握。

公寓位於高台上，從陽台上可以看得到一大片較富裕的單棟建築。因爲地價高漲，使得這裏也變成人口密集的住宅區；在燈火密集處還是有幾處比較暗的地方，這些地方大多是大地主的宅院。

北川指著其中一處說：『這裏就是住田的次長住的地方。』因爲二樓的日光燈開得通明，兩百多坪的院子裏，一眼就看見車庫空著的，大概次長還沒有回家吧！

『每天晚上都得十一點過後才會回家，這三個月來，從來不曾提早過。出門的時間是在每天早上六點十五分前。』北川說。

『最近銀行員工變成全年無休制嗎？』

『不是這個緣故，聽說是外面有女人。』

『喔！』

『這是我偶然發現的。女的在堂島一家咖啡店工作，除了星期天公休以外，有時候不定期提早打烊，大約每個月兩次。這兩天就是約會時間；換句話說，只要事前知道咖啡店提早打烊的日子，就可以知道男的提早結束工作，離開銀行的日子。』

『那個傢伙有用嗎？』

『那當然，我們可以叫國際部次長大人帶我們去開金庫呀！』

『打算在停車場把他捉下來嗎？』

『大概吧！』

『和那個女的打交道的工作不要派我去。』

『這點我知道。誰會把這種工作交給連小姐和老太婆都分不清的人來辦？』

北川說著捻熄了正在抽的香煙，幸田再將上身趴在椅子的扶手上。

這時候，附近的馬路上傳來一陣飛車黨呼嘯而過的聲音，北川說這一帶最近組成了一個名叫『吹田連合』的飛車黨。

『吹田連合的頭目年紀和春樹一樣大，名字叫索光延，大家都直呼他的小名「索仔」。』

『索仔？』

『思索的索。』

『是韓國人嗎？』

『不是，是北方人，他住在住田次長家附近，也是一棟豪華大宅院，他的父親是旭興企業的董事長，在市內有數家小鋼珠和餐飲連鎖，應該算是白手起家的，是在日朝鮮人工商團體的後援者，你應該聽過吧！』

『報紙曾經報導過，那麼應該算是穩健派吧！』

『是個相當有教養的人，實力也夠了，但是，他的兒子索仔對父親並不滿意，大概是民族主義思想在作祟吧！』

『飛車黨有什麼思想可言呢？』

馬路上又傳來陣陣機車疾馳而過的聲音，但是，幸田覺得這些聲音並不壞，至少它可以當成都市生活混亂程度的指標。

十點過後，野田就起身告辭了。他走了之後，北川才說是有女人在等他。

『那個女人已經懷孕了，五個月。』

北川並未提及他結婚了沒有，但是，從今天這一席話，幸田怎麼也感覺不出他是一個即將爲人父的男人。

把孩子哄睡之後，北川的妻子端出茶泡飯，幸田吃完後就起身告辭了。下電梯時，在玄關遇到春樹，春樹扛著腳踏車，正要走進另一間電梯。T恤和牛仔褲上沾滿了泥土，手臂上有一塊擦傷的痕跡。腳踏車的車把和輪子也扭曲得很嚴重。『怎麼了？』幸田問。春樹只是聳聳肩，依舊面無表情，一點兒也不會爲自己的醜態感到不好意思。

『飛車黨故意來撞我的，就是索仔那個傢伙。』

『流血了！』

『早晚我會要回這筆帳的。』

『你自己會修理嗎？』

『試試看，我哥哥有工具。』

春樹說著走進電梯裏，直到電梯門關起來，他都一直背對著外面，連一句晚安也沒說。

在JR吹田車站四周是一大片四、五層樓中古住宅，幸田住在其中一棟的五樓上。一房附衛廚每個月五萬在東京連停車位也租不到。

從六張榻榻米大房間的陽台，可以看到JR線北側緩緩的斜坡。桃太郎住的地方也在這面窗户的視線範圍內，但是實際距離大約三百公尺左右。如果幸田架起望遠鏡，可以將桃子在樓梯上上下下的情形一覽無遺。因爲桃子的房間沒有裝冷氣，所以窗户通常是敞開著，但是晚上卻很少點燈。因爲常常看見他回來了，人在房間裏卻不開燈，引發了想知道理由的好奇。

去年在秋葉原認識桃子，機會的確非常偶然。在認識他的數天前，幸田到御茶水去，當電車快要發動時，他人還在另外一個月台上，於是飛也似地跑過去；這時候，他的身後有一名男子，當車門關上時，他正好被關在門外。當時並沒有留下深刻的印象，但是在秋葉原看見桃子時，幸田一眼就認出是那個被關在車門外的男子。

桃子說他的名字叫『宗隆生』，在大阪工大的研究室，是出生於東京江東區的韓國人，來大阪已經五年了，而身上穿著毛線衣和牛仔褲，肩上背著一個早已過時的肩包，一副貧弱的模樣。除了身材高大之外，沒有其他明顯的特徵。臉上毫無表情，說話沒有口音，絲毫也感覺不到鄉土味和過日子的味道，幸田直覺地認爲『這個傢伙很善於僞裝』。

在商店街的一側，有一家名叫『丸吹』的豆腐店，桃子五年來都一直在這裏打工。每天凌晨三點就到這裏磨豆腐，九點送到附近顧客手中。白天的工作結束後，是否就回到大學唸書，幸田白天不在，所以並不瞭解，但是，這個晚上都不點燈的傢伙，不可能太用功。

認識了一個多月之後，逐漸熟悉起來，偶爾也會一起吃飯，或者到附近打小鋼珠。桃子非常沈迷於小鋼珠，每天晚上一定到車站前的小鋼珠店報到。

桃子實在是一個很奇特的人，有很多令人難以想像的地方，這些都是從桃子本人的談話中間接發現的。桃子從來不曾收到任何郵件，連廣告回信都沒有；他連報紙也沒有訂，所以絕對不會有收費員上門來收錢。更重要的是，他可能没有半個朋友，或許没有人知道他住在這裡。

而且，桃子經常無端地失踪數天或一個星期左右，當他要出遠門時，除了過時的肩包換成一個藍色的手提行李箱之外，身上的裝扮都維持老樣子。下次再見到他時，他早已一臉倦容，又像往常一樣坐在小鋼珠台上。

記得一年前在秋葉原的工具專賣店遇見桃子時，桃子在店裡選了小型的旋盤、各式各樣的鋁板和銅板、細的金屬管和彈簧。桃子故意將這些東西分三家店購買，當時幸田認爲他買這些零件可能是要修理洗衣機，或者改裝汽車。

大約一個月之後，傳出澁谷派出所遭火箭彈襲擊的消息，幸田立刻聯想起桃子，但是無憑無據，他也不敢貿然地去問他。直到三天前，又發生了一件奇怪的事情。

三天前是星期二，當天中午，太陽旺盛的火苗肆無忌憚地灑在大地上。幸田站在起降機前工作，突然覺得眼前一黑，什麼都看不見了。醒來之後，才發現自己竟然躺在安裝空調的事務所的長椅上，雖然沒有什麼大礙，他仍然提早下班。

在房裡一直躺到傍晚，太陽下山之後，他關掉冷氣，打開窗户。於是，看見桃子家昨天還敞開著的窗户，今天竟然關起來了。幾分鐘之後，幸田看見桃子出現在走廊上；他身穿T恤，腳上套著一雙休閒鞋，這副打扮應該是準備去打小鋼珠。看著桃子下樓之後，幸田也打算去吃點東西。

桃子像往常一樣，往車站的方向走去，但是半途中突然失踪了，取而代之的是一輛緩緩移動的轎車。這輛白色的可樂娜，從早上開始，一直停靠在距離幸田的公寓二十公尺左右的巷子內。今天雖然來回看了無數次。但是始終没有注意到車內有人。

幸田無意識地調整焦距，車窗內很清楚地出現兩個男人的上半身，臉的輪廓並不明確，但是可以看出一個胖胖的，一個是禿頭。以前似曾見過，卻怎麼也想不起來。

幸田爲自己的發現感到興奮，立刻放下望遠鏡，出門探看究竟。

他儘量避開那輛可樂娜，在車站南口的廣場，透過第二間小鋼珠店看到桃子時，心裡鬆了一口氣。

桃子今天的成績不佳，盤子裡的鋼珠寥寥無幾。

『手氣不順嗎？』幸田說。桃子瞥了他一眼，仍然不吭一聲。很快地桃子的鋼珠全都用完了，他正準備轉台時，幸田將他自己收集好的鋼珠，放到隔壁的盤子內。

桃子的眼睛又動了一下，說：『你是不是病了？』

『你怎麼會知道？』幸田說著，但是並不抬頭看他。

『我看你中午回來時臉色慘白。』

『中暑了，天氣太熱……』

『我看大概是日本腦炎。』

『你怎麼看的呢？』

『因爲你一副快死的模樣。』

『那是你說的！好像有人跟踪。』幸田說。

桃子嘟囔說你不就是警犬嗎？隔了一會兒，桃子問了一個很奇怪的問題：『喂！幸田，你有沒有兄弟姊妹？』

『有一個妹妹，不過很小就送給別人當養女了，所以連她長什麼模樣都不記得了。』

『我有三個兄弟姐妹，一個哥哥，兩個妹妹。昨天……我見到了我哥哥。』

『在大阪？』

『嗯，他釘我的梢……』

什麼！那個……桃子用手指輕撫著弧形的玻璃台，一副心不在焉的模樣。

『你哥哥幾歲了？』

『大我四歲，今年三十了。』

『是個上班族嗎？』

桃子微微地搖搖頭。從側面偷瞧一眼，桃子按在玻璃上的手指瘀血，非常用力按著。這小子連提自己哥哥的事都盜汗。

桃子重複著這句話，但是這一次聲音更小了。

『他有沒有說什麼呢？』幸田問。

桃子點點頭，喃喃自語地說：『下次再讓我碰到，你就完了！』

幸田又看了桃子一眼，但是桃子低著頭，將所有的鋼珠都倒進幸田的盤子裡，然後往出口相反的方向走去。

幸田正在猶豫著，腦子裡正快速的轉著，看見一個男人走過入口附近的玻璃窗前，這個男人就是可樂娜轎車內那位禿頭的男人。

幸田反射性地尋找桃子的身影，再往入口處看時，那個男人正快步地往鋼珠店左側的巷子走去。巷子裡有一家贈品交換所的窗口，旁邊只有工作人員通行口和廁所而已。

幸田走向鋼珠店後面，朝著骯髒的廁所走去。廁所有兩間，一間是員工專用，一間是供顧客使用的；兩間都是空著的，員工專用廁所洗手台上的窗户敞開著。突然間從巷子傳來一陣腳步聲，但是很快就消失了；聲音並不是桃子的休閒鞋。

幸田在廁所裡待了一會兒之後，一無所獲地離開。突然覺得腦袋瓜裡一陣撕裂般的疼痛，原本以爲十分鐘後就會消失了，没有想到竟然持續了整整兩天。

在北川家提起，桃子可能出事了，原來是這件事。

桃子真的失踪了，自從星期二晚上以來，他就沒有再回到住的地方了。幸田數次在黎明前到『丸吹』豆腐店窺看，也經常趁凌晨的幾個小時到車站附近的鋼珠店打轉，但是都沒有看到人影；連那輛可樂娜，還有那兩個跟踪者也沒再出現。

二十八日星期一，幸田和往常一樣去上班，在起重機前工作得渾身是汗，幾乎將桃子的事情忘得一乾二淨。傍晚，接到北川打來的電話，約好下班後在梅田見面。北川在電話中表示有一件好事一件壞事要轉告，並且附加了一句：『想瞭解一下桃子的情形。』北川自從前天將桃子的事交給幸田之後，就不曾再過問，表示北川對他完全信任。

和北川約在梅田車站的一家飯店的一樓咖啡廳，因爲出入的人不多，是一個很好的談話場所。北川先說的好消息是野田已經正式邀請老頭加入了。

『星期六晚上，野田和老頭兩個人比賽喝酒，輸的人必須完全聽對方的命令，結果野田輸了，答應入教。』

『入教？』

『是的，由老頭唸一段聖經，然後兩個一起說阿門。』

『然後呢？』

『如果是平常的話，野田是絕對不會輸的，因爲在喝酒之前，他一定先喝下兩瓶每瓶兩千元的止醉劑，所以這次是他有生以來，第一次向老頭說不要再喝了，他想藉此機會，讓老頭誤入他的圈套。』北川得意地說著，吐了一口煙。

『這個傢伙年紀這麼大了，讓他加入合適嗎？』

『如果想讓住田的電梯運轉自如，非靠老頭不可。而且他在保全公司方面也比較熟悉。如果只派野田一個人到住田大廈搜尋，我覺得並不妥當。』

『這是你的意見嗎？』

『喂！幸田，你到底有什麼意見，快說。』

『野田所謂的圈套，難道你不認爲這是謊言嗎？』

北川微笑著，指間卻神經質地夾緊香煙，顯得有些焦躁不安的模樣。

『應該是不會說謊的，但是有一些微妙。老頭酒喝多了之後，也吐出了真相；老頭之所以會參加這次計畫，其實還有一個更重要的動機。他對於自己應得利益的要求，只說準備期間每個月五萬，成功時一百萬。』

『那一點錢只配給豬。』

『他不要錢是理所當然的，因爲他光是養老金就花不完了；他的目的是想找一個人。』

『什麼人……』

『他之所以當清道夫，每天在街頭巷尾掃地，也是希望能夠找到這個人。好像是一位數十年不知去向的神父，身上總是穿著黑色長袍……，據說這位神父很久很久以前住在這裡。』

『這或許是他自編的故事！』

『總之，他是這樣一號人物，他的事由我來收尾。對了，你找到桃子了嗎？還是他依然行踪不明？』

『嗯！』

『你說桃子最近出事了，到底是什麼事呢？』

在煙幕的後面，一雙有如野獸般的眼睛，正閃爍出炯炯的光芒，這是北川在看獵物時所發出的本能性光芒。

幸田只是簡短地回答：『有人在跟踪他。』

『那一型的？』

『大概是警察吧！』

『爲什麼?』

『也許是上次火箭彈的事,……我也不清楚。』

『如果他是激進派的韓國人,只有公安人員會找他麻煩,究竟是日本的公安人員,或者是KCIA呢?』

『先不要管對方是誰,桃子到底是不是韓國人,都還未確定呢!』

北川思索了一會兒之後說:『不知道桃子的身分到底是什麼,但是,他能自製炸彈,卻是不爭的事實。』

的確,桃子一口流利而沒有任何口音的日語,更使他做起事來很方便。若說危險,野田的多嘴,老頭的身分不明也很危險。

幸田並不希望話題一直繞著桃子。

北川手拿著湯匙,輕敲著杯緣,一副焦躁的模樣。幸田不太高興卻又不便離席,兩個人沈默了一陣子之後,幸田開口問:『北川,不是還有一個壞消息嗎?』

『是呀!這個……真是難以啟齒,這件事情與春樹有關……』

北川說,昨天春樹被他打得半死,理由是野田打電話來時,春樹在廚房的分機竊聽,掛電話時被北川察覺了。問他到底聽見了什麼，他一個字也不肯說，但是他確實偷聽了野田的電話。

北川並不會因春樹偷聽他的秘密，而有所動搖。但是竊聽是一種非常不好的行爲，令北川無法忍受，於是將弟弟毒打了一頓。可是打完之後，北川又認爲自己出手實在太重了。北川是一個很難得會自我反省的人，他會說這種話幸田也感到訝異。

原來，春樹在被打之後就離家出走了，到現到還沒有回家。這麼一說，白天在倉庫做事時是沒看到春樹。幸田立刻聯想到星期五晚上，他扛著被撞爛的腳踏車，擦身而過時，眼神裡透露出積壓了無數的委屈，只要一遇到導火線，他會立刻引爆。

『雖說他是我的親弟弟。不過，這次春樹做錯的事，我絕對不原諒他。』

『給他一些錢，只要他不把事情傳出去就好了。』

『錢？開玩笑！他做出這種事，別怪我無情。』

『放著不管會要命的。』

『所以我想讓他加入。』北川作了結論。終於說出真心話。

『最後還有一件很重要的事，想請你幫忙。』

『什麼事？』

北川吐了一口煙之後，才慢慢地說：『如果，你看見春樹，麻煩你勸他回家；如果他不想回家……』

『這個沒問題，住一晚一萬塊，稅金和小費外加。』

幸田說著就起身離開這家飯店。

又度過無所事事的兩天。春樹一直沒有來打工，桃子也不見人影，真不知該做什麼，只有讓時間白白地流逝。但是，幸田仍然每天到車站前的小鋼珠店繞一圈，到『丸吹』買豆腐。天氣依然很熱，但已不感覺太陽的刺痛。夏天終於要過了，才剛想到這裡，雞眼又痛了起來。

八月三十一日是盤點存貨的日子，因爲前一天還留下許多未整理完的箱子，幸田比平常更早一點，在八點前就上班了。

幸田任職的倉庫公司附近，聚集了各式各樣的倉庫，加工廠和小規模的辦公室，因此，這一帶很少住家。四線道的大馬路上，從上午八點開始塞車，直到深夜仍然川流不息。

雖然馬路上擠滿了趕上班的人車，但是飛車黨的摩托車仍然穿梭其間，在黑底的安全帽上，寫著四個螢光大字『吹田連合』。這麼早就出來飆車，實在非常不可思議，而且，不是一兩台；幸田停下來數一數，一共有十七台摩托車呼嘯而過。

那個名叫『索仔』的傢伙應該也在其中吧……幸田邊走邊想，不知不覺已經走到他任職的寺西運輸倉庫股份有限公司的大門口了。

其他員工都還沒有來上班。陽光已經很強了，但是倉庫的牆壁和水泥地，仍然有些陰冷的感覺。爬上起降機之後，看見有一扇窗子打開五十公分左右，窗子下面放著一只木箱子。

大概是遭小偷光顧了。

幸田連忙從起重機跳下來，爬上木箱子，探頭看看窗户內的情形。倉庫裡三排棚架上擺滿東西，地板上堆滿空紙箱，今天的盤點真不知要從何著手！

幸田看到倉庫內的情景，腦中閃過了曾經有過的念頭。他仔細環視一遍，下意識地往倉庫裡叫了一聲：春樹！

但是沒有任何回應，於是他再叫一聲：春樹！在棚架之間，看見一臉蒼白的春樹。幸田立刻從窗口跳進來。

春樹斜靠在架子上，當了四天的流浪漢，他顯得非常虛弱。既沒有戰勝者的雄姿，也沒有絕望者的落魄。幸田擔心那天晚上的車留下陰影。

『站起來！』

幸田拉著春樹站好，T恤已經發出異臭味了，好像是汽油或機油的味道。

『你在這裡做什麼？』

『還以顏色。』

『你去破壞他們的摩托車？』

春樹曖昧地搖搖頭，兩眼直視著幸田。

『他們剛剛來過！應該是衝著你來的！』

『沒留下證據，沒理由衝著我來。』

『那是你自己想的。』

『你是不是加入飛車黨了？』幸田問。

春樹仍然沒有回答，最後幸田只好將他帶到事務所，爲這些天來的曠職而道歉。讓他幫忙盤點，卻約束他不可外出。上午吹田連合又在倉庫外繞了兩次；中午幸田到附近的自動販賣機買了一瓶罐裝果汁，順便到附近的巷子和咖啡店轉了一圈。下午，吹田連合的引擎聲在倉庫外來回了四次。

大約三點左右，幸田從二樓的窗口往下看，看到幾輛摩托車停在巷子口；春樹也看到了這些摩托車，但是，他的表情並沒有絲毫改變。

盤點的工作在五點結束，在辦公室裡喝了半個小時的啤酒之後，各自下班回家。春樹一直待在廁所裡，幸田只好先離開辦公室，到倉庫的屋簷下抽了兩根煙。

守衛的老先生從側門往馬路上看了一眼，然後慌慌張張地朝辦公室走去。幸田認爲他準備去報警，於是對他說：『武田先生，你要去打電話嗎？』

『還是報備一下比較安心，雖然明知道不會有人理的。』

『你可以說已經有人受傷啦！』『不要以爲我是傻瓜。』老先生說著，就走進辦公室。

幸田抬起頭來，看著從電線桿上牽到倉庫，再沿著屋簷連接到辦公室的電線。幸田從口袋裡拿出一把小刀，單手一伸，只聽見一聲輕脆的刀聲。

春樹從辦公室走出來，手上只拿著一只鐵鉗，但是全身充滿戰鬥的感覺。肌肉鬆弛，精神委靡，只有本能是清醒的，一種獨特的空白狀態。

過去自己也曾經有過這樣的經驗，因爲體格上不比人好，打起架來總吃不開，可是，一旦與暴力接觸，肉體和精神都體會到事態嚴重時，自然就學會了打架的方法。雖然很恐怖，但是控制恐怖的神精卻很亢奮，春樹似乎已經嘗到了這種滋味。

春樹一出現在馬路上，停在內環道路的機車群中，立刻走出十來個人。但是春樹仍然毫不畏縮地往前走去。

幸田背對著側門，在春樹的斜後方，大約五公尺遠處，停住腳步。他站在這裡主要的用意是要擋住守衛老先生的視線。

春樹真的朝著飛車黨走去，對方的摩托車也緩緩逼近，雙方的距離逐漸縮短。突然有一輛摩托車，按捺不住緊張情緒似的衝了出來，大約只花三秒鐘，就騎過五、六十公尺的距離，而且速度仍然繼續維持著。圍在人行道上的騎士也一擁而上，這時候春樹的身體變得短小兇猛，緊握鐵鉗的手一揮，就劃出一道漂亮的弧線。

看不見丟出去的鐵鉗，但是卻聽見水泥地被敲碎的聲音。幸田看見一台距離他二十公尺的摩托車飛了起來，車身立刻傾斜，只聽見對面的來車和後面的車隊，響起一陣紛擾的緊急煞車聲。

索仔！突然有人大叫。索仔！

有三個人往春樹身上撲過去，其餘的飛快地跑去攙起跌倒在地的索仔。這位飛車黨頭目的身材令人意外的袖珍，留著龐克頭，不知道受傷的情況如何，不過他自己能走路。幸田這時候才移動位置。

過了一、兩分鐘之後，春樹已經倒在地上了。幸田上前抓住正要往春樹踢過去的飛車黨。

『已經夠了吧！』

這些男孩子立即停手，盯著幸田的臉看，幸田也毫不畏懼地回瞪過去。雖沒有敵得過這三人的體格，卻絲毫不怕。幸田拿出刀子來，緩緩地搖搖頭說：『你們再不走，可別怪我不客氣了。』

這三個年輕傢伙連一句是或否都沒有說，回敬一眼就走了。

『條子來了！』突然有人大叫一聲，所有的摩托車立刻發動。當摩托車往東走了兩百公尺遠之後，警車的紅色警示燈和警笛聲同時出現。

幸田四處尋找不知丟棄在何處的鐵鉗，跑了數公尺遠之後，終於在路肩找到了這把鐵鉗。然後，他背著春樹，躲進倉庫西側的小巷子裡。再跑了三、四十公尺，穿過一條巷子之後，他才將春樹放下來。警笛和擴音器的聲音在耳邊不停地響著，再加上陣陣熱風不斷襲來，斗大的汗滴就從額頭上滴下來。大約休息了十分鐘之後，春樹才自己站起來，一起緩緩地走到神崎川畔。然後幸田在半路上偷了一輛迷你機車，回到吹田，將車子丟在朝日大廈附近。

春樹走進幸田的房裡，微微地點點頭，嘴裡喃喃自語似地說：『謝謝！』什麼東西也沒吃，就鑽進幸田爲他準備的棉被，蒙頭大睡。

九點多時，幸田才到公寓附近的公共電話，與北川連絡，他只告訴北川『春樹被我逮捕了！』然後，到車站前的小鋼珠店繞了一圈，在大門緊閉的『丸吹』附近，閒晃了一個多小時，回家時，經過桃子的門前，看見沒有點燈的窗口晾著一件T恤。

第二天，一大早警察就到公司來了，因爲守衛武田先生報警說昨天的飛車黨切斷了所有的電話線。

幸田認爲讓春樹請假是正確的作法，因爲武田先生只看到春樹被飛車黨打，幸田上前調停；他連翻倒一台摩托車的事都不知道。警察問了幸田許多問題，包括爲什麼他會留在現場？爲什麼會上前制止這場紛爭？有沒有看清楚打春樹那些傢伙的長相？年齡大約是多少，臉上的特徵如何？

幸田都以模稜兩可的答案，隨便敷衍了事，連春樹的住所都說不知道。

警察回去之後，幸田立刻打電話給北川的太太。當幸田一問：『春樹君在嗎？』北川的妻子就結結巴巴地回答：『不知道啊……，我老公沒有告訴幸田先生嗎？前幾天……，春樹和我的老公吵了一架，春樹就離家出走了……，到現在都沒有消息，千葉老家那邊也說他沒有回去……』

北川太太的聲音可以聽出微微的顫抖，好像很悲傷。幸田知道北川並沒有將已經找到春樹的消息告訴妻子，所以，即使警察打電話去問也不用擔心。

幸田等北川的電話，下午北川自己來告訴他警察找過他的情形。幸田說明了事情的經過。北川拜託幸田再讓春樹多住幾天。

幸田並沒有將春樹的事情一直放在心上。今天難得貨非常的少，於是他將起重機好好維護一番，準時在下午六點鐘離開倉庫。

在吹田車站南口下巴士，時間正好是六點半，他打算先去吃點東西，然後到小鋼珠店轉一圈，突然看見桃子坐在廣場的噴水池邊。

和最後一次見面時的打扮完全相同，但是長相卻宛若另外一個人，大概是滿臉的絡腮鬍吧！

看到幸田走過來，桃子立刻起身說：『我有話要告訴你。』沒有抑揚頓挫的聲帶著強調的語氣，有著說不上來的魄力。

『什麼事？』

『到別的地方說……』

桃子見幸田還站著不動，就用力拖著他走。桃子走路的速度和往常完全相同，真讓人懷疑到底是不是真的有人在跟踪。桃子帶著他朝商店街完全相反的方向走去，越過JR吹田修護場，放眼望去盡是木造的矮房子。

在修護場邊的草坪上，桃子停住腳步，然後從紙袋中拿出一個以手帕包裹著的東西。

桃子說：『這是你的嗎？』

桃子將手帕打開，原來是一把黑色手槍。

『是你的？或者不是你的？』桃子又問了一遍。

幸田不想回答，對於桃子陰森的眼神，他直覺地感到厭惡。這十天來的感情，蒙上了一層烏雲。

『別太小看我！桃子！你爲什麼口口聲聲說這是我的東西，你給我解釋清楚。』

『你不要再跟我演戲了，是你把我住的地方透露給我哥哥的……』

『這是什麼話？我連看都沒看過，怎麼向他透露呢？』

『……我只不過問問看罷了！大概是我哥哥說謊吧！』

『你爲什麼只憑這一點點懷疑，就說這把槍是我的？你說呀！』

『……這把槍是哥哥帶來殺我的，但是，我的國家並不使用這個廠牌的槍，而且也沒有滅音器，……所以，我想知道，到底是誰給我哥哥的。』

桃子雙眼茫然地直視前方，四下安靜無聲，只看見點點的螢火蟲在頭頂上飛舞。

桃子突然將手槍往上舉，好像要丟掉，幸田見狀撲了過去，桃子毫無抵抗地讓幸田打了兩拳。幸田將槍抵在桃子的腹部問：『桃子，這種東西在日本也不多見，只讓人更加懷疑你的身分。』

『出賣我的人，一定要報復……』

『別再開玩笑了，你用這個殺了誰？』

『是的，我殺了我大哥！』

桃子的眼角露出點點的光芒，大概是淚光吧！幸田不忍直視別過頭去，握槍的手不自覺地往下垂。心情非常複雜，只好軟化下來。『……這把槍我暫時替你保管，再胡來我可要報警了。』

幸田又將手槍包了起來，桃子喃喃自語著，因爲他說的是朝鮮話，幸田一句也聽不懂。

春樹只洗了澡，又躺回幸田的床上呼呼大睡。幸田吩咐過自己不在的時候，他不能開燈和開冷氣。

『拜託你一件事，今天晚上你暫時出去一下，去什麼地方都可以，明天再回來，就今晚而已，可以嗎？』

幸田把春樹從被窩裡拉起來，將鑰匙塞在他手上。春樹盯著幸田看，什麼話也不說。幸田又從口袋裡掏出數張千元鈔票，放進春樹的口袋裡，春樹一句話也不說，頭也不回的開門出去了。

幸田拿出帶回來的手槍，仔細觀察。這並不是一把暴力團體常用的左輪手槍，而是貝雷塔自動手槍；槍口內側有數道實彈射擊所留下的傷痕，握把處的指痕也隱約可見，彈匣裡還有四顆子彈，爲了避免暴露身分，槍身的登記號碼已經被磨掉了。

幸田認爲這件事情共出現了兩個缺點，一點是貝雷塔手槍的來源，一點是放手的理由。桃子說是他的哥哥的，這種說法信不得；或許是他想把殺害他哥哥的兇器轉給別人，到底怎麼樣就不得而知了。

而且，這種貝雷塔手槍連激進派也很少使用，難道這是外國軍隊或警察使用的？或是走私貨？

桃子大概不是激進派，幸田第一次相信他。

然而，桃子究竟是什麼樣的人？總之，他可能已經殺掉一個人了。

幸田想到這裡，立刻到房間一角的舊報紙堆翻閱，找出十天左右的舊報紙新聞版。

八月二十五日，七天前的晚報，有一則消息吸引他的注意。

當天清晨在大阪市內發現一具韓國籍的男屍，死因是槍殺。

大概就是這個吧！

雖然報紙上只說是一具丟棄在土佐堀川的屍體，但是幸田立刻聯想到可能和桃子有關。

幸田爲了慎重起見，繼續尋找相關的報導；第二天二十六日的晚報比前一天詳細。

昨天清晨，在大阪市西區的土佐堀河上發現的槍殺屍體，經過府警搜查本部所進行的搜查，該名男屍的護照上登記的姓名，可能另有其人；因爲根據解剖的結果發現，屍體的頰骨或鼻孔都

與護照上的照片有顯著的差異。而且，甚至連這張護照都很可能是僞造的。

這張有問題的護照上所使用的漿糊，並非日本製造的產品，雖然蓋有昭和五十九年成田入境的印章，但是『楚要煥』這個人並沒有入國登記，可能連這個入境章都是在國外僞造的。

而且，經由外務省與韓國大使館連絡的結果，日本境內並沒有一位名叫『楚要煥』的韓國籍人士。

因爲屍體的身分依然不清楚，警察廳在附近張貼該男性與護照上的照片，相信可以獲得充分的情報……。

幸田將報紙丟在一旁，根據二十六日的報導，這個案子已經動用了警察廳，表示與一般刑事案件的搜查程序迥異，完全移到警察廳公安部的手中了。公開照片可能是假的，因爲類似的搜查活動幾乎都是在秘密中進行的。

不管他是不是真的叫做『楚要煥』，護照有沒有僞造。總之，有一個人被殺了，而且，很可能是被桃子用這把手槍殺死了。

第二天星期六早上，幸田穿著輕便的運動服，一副要去慢跑的模樣，往高台的坡道上走去。

在半山腰的草叢中，挖了一個洞，將防水布包裹好的貝雷塔埋在裡面。

下午，他到設於金岡町的卡車修護站，找到了北川。

幸田一看到北川，連招呼都沒打，就說：『桃子不能用了。』

北川以悠哉的眼神，看了幸田一會兒之後說：『爲什麼？』

『因爲他殺了人。』

『什麼人？』

『他說是他的哥哥，報紙上也有類似的報導。』

『哦……』

北川將煙頭捻熄，然後再慢慢地躺回椅子上。繼續說：『已經破案了嗎？』

『還在搜查。』

『破得了案嗎？』

『不知道。』

『真的完全不能用嗎？幸田，我非常需要一顆炸彈，因爲金庫可能有數層的鉛門，而且一定是使用電子鎖或ID卡。如果沒有桃子的炸彈，我們即使順利地闖進去，仍然一無所獲的。』

『不能找別人嗎？』

『你以前的兄弟呢？』

『我沒什麼兄弟。』

『只要有錢，你就把事情收拾得乾乾淨淨，你總有一些名單吧！』

『你也是跟我同夥的，對彼此而言都危險，乾脆現在就分手吧！』

北川掀動著嘴角，欲笑不笑地說：『我覺得再也沒有比桃子更合適的人選了，因為他既然能夠殺人之後逃逸，這套功夫絕對是最上乘的。你還是去幫我找一找他吧！』

『我再也不想見到桃子了，要找你自己去找吧！』幸田回答。

北川立刻以溫柔的眼神看著他說：『我知道你做事一向很謹慎，我最欣賞你這一點了。好吧！幸田，等著桃子被捕吧！如果他被抓去了，你會出來作證，說他殺了人吧？』

第二天下班後，北川就到幸田的公寓報到，從窗口窺視桃子的動靜。當他一進門看到春樹時，只向他瞥了一眼，就把眼睛移到望遠鏡上。幸田覺得不可理會就約春樹一起去看『藍波

Ⅲ』，兩個人看完電影，九點三十分才回到公寓，北川已經回去了，只留了一張字條在桌子上。

《國宅十三C棟四樓，桃子的公寓斜對面的窗口，有兩個傢伙在窺視著桃子，其中一個是禿頭，你知道嗎？》

幸田立刻將視線移向國宅，也不知道那一棟是十三C棟，卻發現可以看到桃子住處的窗户倒不少。被北川耍了，心裡不是滋味。

北川是一個行動派的人，接下來的兩天，他都請別人代班，帶了隨身聽、香煙和一瓶威士忌，就將幸田的房間整個佔領了。連白天春樹和幸田上班之後，他也一直守著窗口；直到幸田回來之後，強奪下望遠鏡；他才回家去。

桃子是否回來了，從公安人員的眼神及性急的包圍動作上，很容易察覺到。北川連續觀察了兩天，當他集中精神，注意著望遠鏡中的動靜時，誰都不許靠近。

只要北川一離開，幸田立刻搶過望遠鏡。幸田有幸田的理由，和北川的目的毫無瓜葛。總之，他是最後一個目睹兇器的人，想要完全不管這件事，實在不容易。而且，桃子遲早會被包圍的，萬一桃子逃走，幸田真不知該怎麼辦才好，倒不如他馬上被逮捕。幸田看著望遠鏡，心裡暗暗地想著。

凌晨二時十分，一輛計程車停放在國宅的入口，從車上走下一名男子，黑色的夾克和太陽眼鏡是從來沒見過的，但是瘦弱的肩膀和走路的模樣，卻是一眼就看出是桃子。

國宅十三C棟四樓的窗口也開始有了動靜。幸田等了幾秒。桃子出現在離住處還有一百公尺的巷子裡，於是幸田仍然注意著望遠鏡中的動靜。突然發現距離桃子約三、四十公尺後方，有一輛沒有點燈的車子，是一輛黑色，或近於黑色的雅哥保持著距離。

桃子緩緩地爬上樓梯，而且頭也不回一下。

接著，看見一件驚奇的事，北川突然出現在同一條巷子中，雖然他以悠閒的步伐走在馬路中央，但是，可以明顯地看出他一心想趕過那輛雅哥汽車。而且，他頻頻回頭看著那輛沒有點燈的車子，其目的就是要發揮牽制作用。最後那輛車子終於不再前進了，在距離公寓三十公尺遠的地方，停了下來。桃子已經消失在自己的房間裡了，一樣沒有點燈。北川繼續慢慢地前進，大約再一分鐘的時間，就抵達樓梯口。

在北川的身後，還有一輛車子從巷子裡疾馳出來，在公寓前停下來，從車中走出兩個男人，這兩個男人一眼就看出一個是禿頭，另外一個微胖。他們也和北川一樣走進同一座樓梯。

看到這裡，幸田立刻放下望遠鏡，跑出房間。他非常清楚北川的想法，而且，那個禿頭和那個小胖子並不是公安人員，真正的公安人員是坐在後面那輛雅哥汽車裡的。所以，這兩個可能是殺手，懷裡或許都藏著槍。

幸田從停車場牽出一輛腳踏車，手中只有一把小刀，在距離公寓十公尺的地方，看見殺手的車子，但是沒有發現那輛雅哥汽車。一走進樓梯中，就看到北川和那兩個男人打在一起，把鐵製的階梯弄得嘎嘎響。雖然這樣的音量還不至於吵醒住家，但是桃子應該聽見了，他一定躲在暗處豎起耳朵來聽。

幸田將腳踏車棄置在樓梯旁，正要跑上樓去時，突然遲疑一下；他並不打算幫忙北川。但是他仍然上樓了。那個禿頭一手握住階梯的扶手，一腳用力往下踹，幸田和小胖子就一起滾下了樓梯。但是，禿頭正在得意時，站在他上面的北川冷不防地往他後腦勺連敲數拳，禿頭也滾下來了。

一陣頭昏眼花之後，才發現那兩個男人已經走了，北川悠哉地站在樓梯上。

這時候，突然聞到一股異味，站在樓梯上的北川也露出奇怪的表情。『失火了！』幸田和北川異口同聲地說。兩個人一起跑上樓去，發現一股淡淡的白煙從桃子的房門下流竄而出。

幸田看著從門縫噴出的白煙，看著其他還在熟睡中的門，心裡暗暗地想，他一定會設法逃命的。對了！他會從窗口逃出來。

『失火了！失火了！』北川大叫三次，就將桃子的房門踢破了。北川的身影很快地消失在濃煙之中時，幸田已經跑下樓梯，越過垃圾場，跑到有窗户的後院裡。

二樓最旁邊那個窗户敞開著，從煙霧中丢下一個提袋，接著又看到一個人影跳出來，最後北川也跳出來了。

北川一言不發地追著桃子，幸田則抱著桃子的提袋在後面跑著。當他們爬過鋁製柵欄，走進巷子裡，聽見一聲爆炸物的巨響。北川說：『去看看吧！』三個人一起往片山公園的高台上跑去。

『北川……那不像是火災，好像瓦斯爆炸了。』

『不可能，瓦斯桶是空的，倒像是火藥爆炸呢！』

『什麼……』

『我都計算過了，那些量是預備把房間炸碎的。』

『喂！桃子，你看那些煙，應該是炸藥吧！』北川看著坐在地上，一動也不動的桃子說。

北川凝視著桃子數秒鐘之後，拉拉幸田的手腕說：『喂！把那個傢伙拿出來。』

幸田從腰際拿出一把手槍，遞給北川。北川放在手中把玩，幸田也是第一次仔細看這把自己偷來的槍。這是一把變型的手槍，槍身又長又粗。

北川將槍放在桃子面前說：『這是那些追你的傢伙拿來的，……你應該知道這是什麼槍吧！』

桃子看了一眼，就把視線移開。

『六十四式滅音型自動手槍。』桃子回答。

『那一國的？』

桃子不回答。

『……算了！那幾個傢伙是非殺你不肯罷休的，可是你卻不懂如何保護自己。』

北川硬將手槍塞在桃子手中，桃子只好默默地將它放進夾克裡。

『幸田，你在這裡等著！我要打電話叫野田過來。待在這兒一個小時之內別走。』

北川回頭對幸田笑了笑，他今晚大概非得叫桃子臣服，否則不肯罷休了。

北川走下水泥坡道時，煙霧濃密處傳來消防車的警笛聲。

幸田和桃子靜靜地在原地坐了一個多小時後，野田的七四〇富豪總算出現了。已經凌晨三點半。

『對不起，讓你們久等了，因爲北川打電話來的時候，我正在和朋友談事情。』

野田一邊解釋著，一邊叫幸田和桃子上車，然後車子就往市中心駛去。桃子沒有時間自我介紹，他也不想自我介紹，野田也沒有問；或許北川已經替他介紹過了。

『北川問我要把你們帶去什麼地方比較合適，我立刻就想到去老頭那裡，因爲那裡比較安靜，單身漢嘛！不過他有一點點潔癖。而且隔壁住了一個女孩子叫做艾美，個性很開朗，和她聊天滿有趣的。雖然不是什麼大美人。』

野田的話好像一首毫無意義的催眠曲，桃子趴在車座上，眼睛一直緊閉著。

幸田也很想睡，但是對野田的駕駛技術不放心，所以一直睜大著雙眼。野田的駕駛隨心所欲，和一般人不一樣。

老頭住在西區靭公園附近，一棟四層樓的舊公寓，一樓是咖啡館和不動產公司。房子裡有安裝電梯，但是不會動，野田口裡說：『壞了。』逕自爬到三樓，停下來笑笑說：『這個時間吵醒老人家實在不應該。』就從口袋裡掏出鑰匙來，自己開門進去。

進門處是一個小的廚房，整理得非常乾淨，大概是東西不多的緣故吧！除了瓦斯爐上有一個水壺，看不到其他鍋碗類的東西。流理台上散置四個碗，有一台冰箱，但是沒有碗盤架。

『廁所在那裡，旁邊是浴室。』野田指著兩扇紙門的其中一扇說。

『老頭睡在隔壁那一間吧！要不要通知他一聲呢？』

『沒關係，明天再告訴他吧！』

『還是打聲招呼比較好吧！』

『好吧！』野田說著用力拉開旁邊那扇紙門，向著裡面大叫一聲：『老頭！』

在黎明將至的昏暗中，一位頭髮斑白的男人從被窩裡坐了起來。沒有父親的幸田，記憶中在家裡沒看過男人的睡衣打扮。

『老頭，你看見我了嗎？這個時間把你吵醒，實在不好意思，我帶了兩個朋友，借用你隔壁的房間商量事情，可以嗎？』野田走進房間裡說。

『他們是什麼人？』老頭的聲音既低沈又響亮。

『是桃子先生，我向你提過的，工大研究室的秀才桃子；另外一位是我們的夥伴。』

『夥伴？什麼夥伴……？』

『我向你說過了呀！十億圓那件大事呀！』

『喔！你是說當小偷那件事啊！哈哈哈！』

老頭好像完全清醒過來了，他起身走出臥房，雖然身材瘦削，但是卻相當高。看到幸田和桃子站在廚房，向他們一一點頭示意，幸田也客氣地回禮，可是桃子卻依然站立不動。

老頭打開水龍頭，喝了一口水之後，從冰箱裡取出一瓶已經結霜的伏特加。

將水槽裡的四個碗並排在桌上，每一個碗中都倒滿酒。

『來，先喝一點！』

幸田喝了，桃子也喝了。

『是那一位要住在我這裡呢？』老頭問。

『啊！我忘了介紹，要住在你這裡的是這位先生，名字叫做……』

『桃太郎。』桃子突然接著說下去。

幸田抬頭看了桃子一眼，野田也忍不住噗哧笑了出來。

『如果你不介意的話，叫我桃子就可以了。』桃子說。

『太好了！那這一位呢？』

『我叫幸田。』

『你不是大阪人嗎？我們以前見過面嗎？』

幸田搖搖頭，但是又覺得對方很面熟。

老頭接著說他該出門上班了，今天分配到的工作地點是中之島公園。

『你們休息一下吧！』老頭說著就出門去了。

幸田帶著桃子到隔壁房間，低聲地說：『先在這裡待兩三天，我們再來討論工作的事吧！』

『是你們剛才提到的十億圓那件事情嗎？』桃子也放低音量。『我可不白吃白喝，絕不當小偷！』

『你是聖人，或是英雄人物？』

『幸田，你是怎麼了，今天好奇怪哦！』

幸田也覺得今天自己是太衝動了，大概是受剛才見到這位老人的影響吧！

幸田看看桃子，沈默了一會，就起身走出這個房間。和野田一起離開時，看到門牌上寫著『岸口』。

因爲野田住在大淀，所以決定送幸田到阪急電車的十三車站。在車上，野田問幸田對老頭的感想如何，幸田只回答他不是一個普通的老人；野田說大概是老頭的信仰的關係吧，幸田只是笑笑，因爲他不想和野田搭腔。相對地，他問起老頭曾經上過刑務所的事。

『那是很久很久以前的事了。』野田說。『我也不太清楚，好像是縱火吧！』

『縱火？燒掉了什麼？』

『教堂。』

『教堂……？』

『到底是那裡的教堂，我也不太清楚，不過對當地的神父造成相當大的困擾，所以他急著想找那位神父。』

找神父的事情北川也提過。現在更清楚了，就是那穿黑長袍的神父。被燒掉的教堂應該就是那間教堂，而老頭要找的神父，就是那位神父吧！

幸田嘴裡喃喃自語地說：『謊言！』

『那根本就不像縱火的人！』

『什麼樣的人像縱火的人呢？』野田吃吃的笑了起來。

這絕對是謊言，幸田的潛意識裡反覆地想著這件事，一股不愉快的餘波在腦海中持續搖晃著。

回到吹田的公寓，已經六點多了。窗簾緊閉著，春樹坐在棉被上。春樹看了幸田一眼，背對著他又睡了。幸田洗好了臉，脫掉襯衫，就鑽進被窩裡。現在到上班時間，還可以再睡一小時。

『我知道你和我哥哥在計畫的那件事……』春樹說。

『那你想怎麼樣？』

『我要加入你們的行列，否則，我就把事情洩露出去。』

『這件事情要和你哥哥商量，只有北川才能做主。』

『……我今天就去跟他說。』

『嗯！』

『……我現在就回去哥哥那裡。』

『嗯！』

『幸田！……你睡著了嗎？』

幸田没有回答，雖然他聽見了，但是仍然一直閉著雙眼。春樹又叫了一次他的名字，仍然没有反應。從外面傳來警察的車聲和行人的嘈雜聲。剛才回來時，小心避開桃子公寓前那條巷子，因爲他看到那裡有許多警車和消防車。可是現在仔細想想，已經做錯了許多事情。一件是腳踏車放置在現場，一件是雅哥汽車上的視線，自己和北川的臉一定曝光了。

九月底，野田來通知要爲艾美小姐舉辦慶生會，參加人數有七、八人，老頭和北川，春樹都包括在內。野田又說，這次的慶生會有兩項主要目的，一項是要討論偷襲住田大廈的事情，一項是要替艾美小姐物色新的男朋友。

據說艾美小姐原有的男朋友，是市內某金融企業的小開，名字叫國島。

野田認爲那個小癟三，怎麼配得上我們的艾美小姐，至少也要爲艾美找一個像北川這樣的男朋友。

據野田的形容，艾美雖然不是個大美人，但是長得滿性感的，是令男人喜歡的那一種類型。從小在三重縣長大，獨自到大阪謀生的艾美，大概是那種待人和氣的女孩吧！本來和艾美也有過交往，因爲責任感和良心在作祟，所以藉著九月三十日是艾美的生日，野田再三吩咐：『慶生會一定要來參加。』

但是，最後慶生會並沒有如期舉行。

當天傍晚，艾美出現在約定的咖啡館內，她是一個皮膚白皙，身材高大的姑娘。雖然如野田所說，不是一個大美人，但是至少有中上的水準了。艾美在門口叫野田，兩個人到咖啡館外商量了許久，明眼人一看就知道事有蹊蹺。過了一會兒，只有野田一個人回來，向大家說：『慶生會流產了！』

少了艾美小姐，慶生會就變成了喝酒大會。野田和老頭聊著男人的話題，艾美這個名字在今晚就完全沒有再被提起了。『國島這個傢伙太猖狂了！』野田說。接著又有人說『殺手』這個字眼，又聽到『國島看到了』。

這個喝酒大會很快地結束了，回到老頭的公寓時，已經十點多了。在這裡關了將近三個星期的桃子，這一天晚上仍然獨自看著書；前幾天看的是內村鑑三，今天已經換成森有正的『杜斯妥也夫斯基懺悔錄』了。桃子已經長了滿臉的鬍鬚，但是他根本不想整理；最近還常看到他在傻笑。老頭說，洗衣服、掃地、煮飯全部都由桃子負責；因此，原本空空如也的廚房，已經多出了一個新鍋子和三、四個碗了。

這晚聚在這裡的一共有六個人，北川、幸田、野田、老頭、桃子、春樹。

所有的人都坐定了之後，由北川開始一段簡短的宣誓：『我願與金塊共存亡，爲金塊而生，爲金塊而死。金塊總共有五百公斤，價值十億圓；一個人頭分兩億，如果有人認爲分配不公平，現在請立刻退出我們的行列。』

這樣的誓詞實在很奇怪，但是，北川在唸時卻是一臉正經的模樣。

等所有人都發完誓之後，北川又拿出一大張紙。這是曾任職於電梯公司，經常在住田總公司出入的老頭所畫的簡圖，包括地下停車場和保全室。除此之外還有六十張照片，這些都是幸田、北川和野田所拍的，是春樹拿去沖洗的。其中有二十張是在阪神高速公路上，從車上照到的住田大廈；有幾張是從中之島的帝王飯店二十層高樓上照到的變電所，和附近的道路，有十張是在總公司的地下停車場內偷拍到的；剩下的十幾張是電腦的定期保養時，野田所拍的電梯、樓梯和通道。

先看建築物的簡圖。

建築物是正方形的，有四個中庭，每一個中庭各有一座電梯；其中兩座電梯是從地下二樓通到最高一層樓七樓；有一座是從地下二樓通到六樓；只有一座通往地下三樓的金庫。而且，這座電梯平常只能到地下二樓，必須先在保全室輸入密碼，電梯才能通到地下三樓。這個電梯密碼是每天都在改變的。

『密碼用的好像是電報文！』桃子喃喃自語。

樓梯在建築物的正中央，和東西南北四個角落各有一座，總共是五座。每一座都和圍繞中庭的迴廊式建築相配合，平均使用著。

一、二樓是總務部和窗口業務，兩個警衛室，會客室和商談室；三樓是貸款業務和營業部；四樓是投資部；五樓是國際業務部；六樓是交易處和外匯部；七樓是幹部辦公室、會議室和倉庫；再上去是電梯的機械室、貯水塔和空調的排氣設備。電腦室在地下一樓，機械室、中央保全室和停車場在地下二樓。

接下來看照片，先看建築物的外觀。

這二十張照片是幸田開著車，在阪神高速環狀線來回繞了好幾次，由北川拿相機拍下來的。從這些照片中，可以清楚地看到西南角有一座大避雷針的電塔。

幸田說這是避雷針，但是野田可不這麼認爲。

『這是紅外線探測器，最近非常流行，半徑一百或兩百公尺的範圍，利用電腦可以進行畫像處理，大概可以和保全公司連線。』

接著北川拿出從中之島帝王飯店的二十層高樓上所拍到的照片。從地面上看，變電所四周圍被其他大樓包圍著，除了厚厚的水泥壁之外，什麼也看不見。花了一晚兩萬五的代價，從高處觀察的確值得。

從二十層高樓往下眺望，在視野的最前方看到的是扇町高中和體育館，以及住友醫院和阪大醫學部，接著是關西電力中之島變電所的一角，後面接阪神高速中之島入口，對面是關西電力總公司大樓，接著是三井銀行、住友中之島大廈、朝日新聞中之島總公司。

乍看之下，這座變電所好像沒有入口，更沒有出口；但是仔細一看，才發現在西側田蓑橋的公車站牌附近，有一條小通道，也許可以考慮作爲潛入口，雖然南邊有一塊停車場的小空地，但是卻沒有任何進入建築物內部的通道。

北川看過之後，失望極了，他凝視著照片說：『這條路行不通了。』

桃子看了同一張照片之後，卻說：『也不見得！我原本也以爲中之島只是一座單純的變電所，看了照片之後，才發現其實並非如此。』

桃子指著連接本館北側的控制室說：『在配電用的小規模設施中，控制室通常不會建在另外一棟，所以這裡至少是一個擁有一百五十四瓦大容量的幹線。』

『怎麼說呢？』

『這是一個變電所，和供給系統分開，可能還與其他的幹線系統相連結。』

『那又怎麼樣呢？』

『如此一來，供給系統就會變得很複雜，大多是採開放式的。不過要進去看看才會瞭解。野田，住田的電力容量一共有多少呢？』

『二十二萬伏特，大概是需要量最高的地方了。』

『那麼，他們是使用多回路的開閉器呢？或是使用分歧開閉器直接把線牽進來的呢？』

『在住田的地下室，有一座低壓用的分歧裝置。』

『換句話說，光靠中之島是不夠的？』

『是的，要想破壞住田的電力設施，唯有將住田的兩個供給系統全部切斷。這件事情說起來很簡單，但是實際上卻困難重重。』野田說。

北川聽了笑笑說：『我們只是想引開警察的注意，所以不必大費周章地破壞中之島發電所，影響附近的電力正常運作。只要假裝以中之島爲目標就夠了，那也接近朝日新聞了，桃子你覺得如何呢？』

桃子沒有提出任何反對意見，幸田只附加了一句：『我自願幫忙偵察。』

『接下來看看這些吧。』

北川接著拿出數張地下停車場的照片，野田將它一張一張地排列整齊。

和建築物相較之下，停車場顯得太小了，兩側縱橫不規則排列的停車空間，將近有三十個車位，警衛室位於電梯旁。這座停車場的使用對象只限於銀行的高級管理幹部、大股東和往來金額龐大的客户，但是像野田這種電腦保養人員，只要和管理員混熟了，想使用停車場並非難事。

在這些照片當中，野田認爲以警衛室和從窗口照到中央保全室的這一部分的四張最重要。警衛室裡通常會有兩個人駐守，負責管理車輛的出入，但是出入車輛不多，所以他們通常是很閒的，桌上放著收音機、罐裝果汁和雜誌，警衛的身後有四台可以監視整座停車場的顯像器、數把鑰匙、電燈、空調等控制盤。本館一樓有一間保全公司的辦公室，各層樓有四架與辦公室直接連絡的壁掛式電話。而且裡面有一扇門，野田在拍照時，這扇門一直是敞開的。

因爲白天有五位保全人員，晚上有兩位，再加上警衛室裡的兩位，平常空間的時間較多，他們經常一起聊天，所以門大多是敞開的。在五名保全人員中，有兩名稱爲連絡員，必須不斷地在各樓走動；其他三名一直待在辦公室裡，輪流派一位坐在九台顯像器前面，但是這項工作非常無聊，所以他坐在旋轉椅上，一直不停轉著身體。

照片的中央是九台顯像器的畫面，如果畫面更清楚一點，應該可以辨認是館內的什麼地方。

『照片不可以放大嗎？』北川問。春樹說沒辦法，一來沒有放大機器、二來不會。

『不可能的事別提吧，會變得很模糊。』野田說。

『真可惜，這些畫面如果能夠加以利用，對我們一定會有很大的幫助。』

『看幾個畫面我可以辨認出來。』老頭說。

『因爲我看過好幾次了。例如，左上是一樓的中央樓梯，這邊這個是七樓的辦公室前面，這個……大概是前面的業務窗口吧！』

『後面那個呢？』

老頭搖搖頭，北川立刻轉向桃子。

『至少要破壞監視盤吧？桃子。』

『監視盤對一棟大樓而言，猶如人的一雙眼睛，絕對不可以隨便亂來。如果要破壞的話，機械室是唯一的選擇。』桃子回答說。

機械室位於保全室裡面，休息室和廁所中間，有三名守衛輪職，交班時間好像是下午兩點、晚上十點和上午六點，這三個人野田和老頭都不認識。

討論到這個階段，每個人對這項計畫都已經有了粗略的輪廓，雖然有不少的困難，也有不少的疑惑，但是可行性仍然很高。

經過主謀北川的歸納整理之後，將今後必須解決的問題劃分爲五大項。

（A）住田大棟的潛入方法。

這一項包括四個要點。

一、可以潛入的草坪。

二、選定進入停車場的車輛。

三、警衛和保全人員如何處理。

四、安裝電梯的控制裝置。

（B）爲了掩飾而僞裝事故和破壞通信回路。

一、確實瞭解共同溝、變電所、機械室，以及各項設施內容，做好偵察工作。

（C）關於金庫的一切。

一、國際部次長户田雄一郎的日程表。那女人的釘梢。

二、在停車場捉到户田次長的步驟。

三、潛入金庫的方法。

四、搬運五百公斤重物的機器。

（D）關於撤退的方法，確保逃生路徑。

（E）炸藥的準備工作。

以上各項還有很多細節需要研究，幸田非常清楚，每一項計畫都是必須經過再三修改之後，才能付出實際的行動。

2

十月的氣温已經有了明顯的變化，尤其是黎明時分，陣陣冷空氣迎面襲來，將睡意驅散得無影無踪。

幸田已經連續五、六次，選擇清晨走在中之島的路上，而且，每一次都和桃子一起。偵察前一天，兩個人就像無家可歸的流浪漢，將報紙鋪在長椅上睡。

不用偵察的時候，只要高興，也可以夜宿在外。這種日子從清晨六點起，他就只是坐著看看土佐堀川。

七點左右，老頭出現在土佐堀大道，和夏天比起來，大約晚了半個小時出來打掃，如果到冬至，可能會更晚吧！

幸田通常是坐在行人專用錦橋的花壇旁，如果遇到老頭打掃土佐堀道的日子，他通常是從這座錦橋開始的。老頭一次也沒有看到他，幸田也不出聲向他打招呼。其實，在户外露宿一夜，全身冷得不停顫抖，神經和感覺都麻痹了。雖是醒著，腦子、神經全不靈光。

有一次，幸田實在非常想和他打招呼，右手有一股要往上舉的衝動，但是腦子裡一片空白，一點力氣也使不出來。結果，他莫名其妙地抓起花壇上的泥土，往地上丟。這時候，他的後面有人講話了。

『幸田……』桃子叫了兩次幸田的名字，握住他的手，硬將手指掰開。

『幸田，你一直向老頭丟泥土，到底想幹什麼……』

這是三天前發生的事情。

從此以後幸田就不曾再見到老頭了，因爲這三天來，他每天都睡在中之島。

幸田決定轉移陣地，今晚睡在淀屋橋下。這裡的長凳也和中之島公園一樣，是流浪漢棲息之所，再加上位於阪神高速公路的高架橋下，即使下雨也不用擔心。

醒來之後，沿著河邊一直走到肥後橋，然後進入中之島三丁目。再往前走一百五十公尺，右手邊是朝日新聞總公司、住友大廈、三井銀行、關西電力公司。過了關西電力公司，在阪神高速公路中之島入口處的三角地帶，就是變電所的勢力範圍了。

停車場的鐵門緊閉著，圍牆上裝著有刺鐵線，對面就是三井大樓的外牆。雖然門口沒有看見半個警衛，但是到處安裝著紅外線探測器，所以想要侵入變電所絕對不容易。

地面上的建築防盜措施完備，實在找不出可以進入的漏洞，於是桃子建議不妨試試下水道口。打開下水道口的鐵蓋，只看見一個黑漆漆的空洞垂直向下，底部有水流過的聲音。

幸田拿著手電筒，下去看看，直徑七十公分，深度一百五十公分的下水管，雙腳一踩下去，立刻濕透了。

『水深多少？』桃子問。

『二十公分左右。』

『這是不下雨的情形。』

幸田在黑暗中，脫光了衣服，用毛巾擦擦身體，然後換上桃子遞給他的牛仔褲和毛線衣。桃子看了忍不住大笑。

『這個工作口正好可以用來藏炸彈。』桃子說。『包括點火裝置算在內，最少也重達四、五十公斤，如果要一次運來，實在非常危險，所以我打算慢慢搬，搬來的就先藏在工作口裡面。』

『沒有人會來開這個洞嗎？』

『不用擔心，我們開這個蓋子時，上面不是鏽得非常嚴重嗎？這證明已經很久沒有人來動過了。』

桃子的說法或許是正確的，在下水道裡面，除了水垢和污泥味之外，還有苔蘚的味道。

『這是最後一條潛入路線嗎？』幸田問。

『是的，因為這條通路的入口面對著堂島川，沒有人會注意這邊的動靜。』

這是連續幾天在這一帶偵察之後，桃子所下的慎重而妥當的結論。

『今天晚上，我們進去瞧瞧。』桃子說。

『太好了，幾點？』

『三點。』

『需要準備什麼呢？』

『要能翻過牆去的工具，今晚用繩子好了。還要準備一套開鎖的道具，還有一台自動相機、手套。這些就夠了。』

幸田和桃子沿著相同一條道路回去，走到土佐堀川的遊河人行道，時間是六點半，已經有兩、三位流浪漢醒過來了。老頭大概還沒來吧！幸田不自覺地往土佐堀川的對岸看去；這時候，走在他前面數公尺的桃子，已經不見人影了。

桃子蹲在肥後橋旁的樹蔭下，肥後橋的東邊有一座錦橋，兩座橋相距不到十公尺，越過錦橋的石造欄杆，可以看見兩個蓄著短髮的人，而且是一男一女。女的一眼就可以認出是艾美小姐，身旁的男孩子雖然沒見過面，不過應該是那個名叫國島的小開。

這對男女很快地就走過錦橋，往土佐堀路走去。

桃子等兩個人的背影消失後，就站起身來，向幸田使了個眼色，也走過肥後橋。幸田加快腳步地在身後追趕。

『看見什麼了？』幸田問。

桃子以毫無表情的語氣說：『我認識那個男的。』

『他是我在謀殺我哥哥時的目擊者。』

『怎麼會呢……』

幸田又看了桃子一眼，依舊是毫無表情。他那特有的親切感只有在黎明前一起在街上逛才看得見，卻隨著太陽的東昇而消失。

『桃子，我認識那個女的，她就是住在你隔壁的女孩。』

『我從來沒有見過她……』

『她好像很少回家，從八月底開始，聽說那對男女的關係變得很奇怪。』

『……男的應該就是看到殺人那一天開始的吧！一定是誤以爲暴力團體，只好四處躲藏。我也看到他的臉，反正女的也一定聽男的說過……。』

『大概是吧……』

幸田沒有明確地反應，這件事情在艾美生日那天，他曾聽野田和老頭北川談起。

這些天來，一直熱中於偵察工作，大概是太興奮了，以至於忘記桃子曾經殺人這件事，竟然和他合作得這麼愉快。卻也無法忘記他曾是殺人兇手，幸田對桃子的嫌惡感又忍不住產生；今晚絕對不能再和他一起露宿野外了。

『桃子，今天晚上的工作暫時停止，我想休息一下。』

幸田將一直拿在手上的果汁罐子，往馬路上擲去；然後脫下如同破皮的襯衫，也丟在馬路邊，只穿著一件內衣回韌本町的公寓。再從這裡去吹田上班。

從十月開始，堆在倉庫外的空啤酒瓶顯著地減少，但是，委託管理的進口食品公司最近運來一台超大型冰箱，所以開始忙著處理各式各樣的冷凍食品。每天還要將貨品發送到各地的批發商。工作不但非常無聊，而且在零下三十度的冷凍庫進進出出，比起在炎炎夏日下工作，更加辛苦。幸田累得連見到同事都没有力氣打招呼，即使是春樹，也只是四目相望，連打招呼都省了。

春樹最近的神情看起來有些奇怪，雖然臉上依然毫無表情，但是眼神卻透露出惡劣的訊息。

今天早上和春樹碰了幾次面，每當視線相接時，春樹總顯得非常不悦的模樣。上午，春樹將出貨通知書送來時，幸田再也按捺不住，威嚇地說：『你不要太過分了！』春樹聽了，故意裝蒜說：『什麼？』

『別裝蒜了！你爲什麼要用這種眼神來看人呢？』

『因爲我本來就長得一副令人討厭的臉，才要看人臉色過活，我可惱了！』

『這是我想說的，總之，你不要用那種眼神看我，我不喜歡人家那樣看我！』

『我没有看你，我也不想看你！你最近幾乎都不回家了，你到底在搞什麼？』

春樹說完之後，轉身就離開了，結果將最重要的出貨通知遺忘了。一分鐘之後，聽到從辦公室傳來怒罵聲：『混帳！』

十月二十日，星期五，桃子失踪了，只留下一張字條：『我暫時離開一下。』他並没有拿走那個提袋，唯一不見的只有那本『杜斯妥也夫斯基懺悔錄』的最後一集。

深夜回到家中的老頭，看到字條後，打電話給野田，吃驚的野田立刻和北川連絡。北川身穿著睡衣，就從南千里騎車直驅幸田家中。北川見到幸田，他一句話也不說，將字條塞在幸田手中，然後轉身就衝下樓梯。今晚竟然下起雨來。

這些天來，北川的脾氣變得非常暴躁，其實北川本來就是一個很暴躁的人，一不高興起來，就靜坐在房間裡，一動也不動。星期天，北川的妻子受不了丈夫的怪脾氣，於是打電話向幸田討救兵。

如果電話是北川自己打的，幸田可能會回絕，但是北川的妻子打電話來討救兵，雖然外面正下著大雨，幸田仍然不得不出門。到南千里車站，就看到北川，沒想到他會親自來迎接，連兒子祐一也來了，祐一穿著一雙過大的雨鞋，自己撐著一把黃色的雨傘，搖搖擺擺地走了過來。

『望遠鏡叔叔！』孩子對著他叫。北川答應孩子要帶他去吃甜甜圈，小孩高興地說：『我要吃很多冰淇淋！』從北川的神情看來，他似乎已經忘了自己強迫太太打電話那件不愉快的事情了。

祐一叫了冰淇淋和甜甜圈，北川和幸田則各叫了一杯咖啡。連下三天雨，店裡的桌椅都濕濕的。

『春樹買了一台摩托車。』北川說，他對這件事好像沒什麼興趣。『是一台中古車，看起來還不錯，山葉的……型號我忘記了。下次有機會的話，不妨去看看！』

『怎麼了，我非看不可嗎？』

『如果你不愛看就算了！』

『你叫我來，就是爲了這件事情嗎？』

『……我最近想了很多，幸田！讓那個殺人兇手加入是我的主張，所以我會全權負責，不會讓事情就這麼算了。』

『哦！』

『他只留下一張字條就出去了，我想他應該會再回來；而且，找到他，逼他說實話。』

『要他說什麼？』

『我擔心桃子會對國島做出不利行動，……我不相信如果他殺了兩個人，他還能冷靜地工作。』

『……總之，和桃子之間有許多話要說，都怪我們對桃子說得太多了！』

『那些其實都無所謂，只怕我們的計畫就要在最重要的節骨眼宣告流產。』

『別開玩笑了！』

『你是知道的，上次在桃子的公寓和我們碰面那兩個人，並非公安人員，因爲，我聽見他們是以韓語在交談的。而且，那把六十四式手槍，是北韓的軍隊所使用的。……所以，我猜想桃子或許是北韓派到日本的地下工作人員。』北川說著，一邊幫吃得滿臉冰淇淋的兒子擦臉。北川並不冷靜；幸田非常瞭解他，當他看起來很冷靜的時候，十之八九是非常不冷靜的。而且，他是一個最恨別人背叛他的人，遇到這種事情，他當然無法忍受。

幸田決定先看看北川的處理方式，這件事情他已經深思了三天，應該會有一個完善的答案吧！那雙正細心在爲兒子擦拭冰淇淋的手，同時也是緊握十億金塊的手。

老頭坐在廚房的餐桌上，桌上擺著一瓶已經開了的伏特加，還有一個空碗。

桃子在緊閉的紙門裡面。一個小時前，老頭打電話通知幸田和北川，說桃子已經回來了，他們立刻從吹田搭計程車趕過來。老頭一再勸他們不要責備桃子，於是大家只好都默默地坐著。北川忍不住一再地說：『我要把他除名。』

『一定要這樣做嗎？』老頭開口問。

『不這樣做，你到底要叫我怎麼做呢？』

『你們不像是要好好談一談的樣子！』

『是可以好好談的，但是，現在我們六個人等於是坐在同一條船上，命運是息息相關的，萬一出了什麼差錯，每一個人都會受牽累。』

北川說話的語氣簡潔而有力，可以看出他過度壓抑，情緒變得起伏而不安定。

老頭不再說話了，拿著一把雨傘，又帶著一瓶伏特加，出門去了。看著背影，幸田第一次注意到他那瘦削略顯下垂的雙肩。北川和幸田對看了一眼，兩個人都沒有開口，北川起身拉開紙門，一看到桃子，不管三七二十一，先拳打腳踢一翻。幸田默默地站在一旁，沒有出手。

北川額頭上的汗珠不斷滴下來，桃子則鼻孔和嘴巴都不停地流血。桃子還是悶不吭聲，所以北川繼續打下去。

幸田下意識的拿了坐墊就丟，北川於是移開了身體，幸田將蹲在角落的桃子拉起來。然後臉靠近桃子的臉說：『桃子，我能說的只有這些了！我知道你還想活，所以你想要將目擊者處理掉，可是，最根本的辦法並不是殺人；你這麼做會影響到我們的工作，你知道嗎？』

桃子緊閉著雙眼，没有表示對或不對。

北川失望和憤怒夾雜地接著說：『這個星期結束變電所的偵察工作，然後我們再開一次會，協調一下彼此的工作。』

幸田先走出房間，靠在走廊的欄杆上，外面正下著大雨，所以呼吸到的空氣都是冰冷的。

北川出來之後，兩個人撐著傘，一起走出去。但是大約半個小時，兩個人都没有開口說話。北川大概是因爲自己的醜態被幸田看到了，覺得很不好意思，他聳聳肩膀說：

『幸田，你認爲桃子會殺國島嗎？』

『應該是不至於吧！』

『我也這麼認爲。』

『雖不知道爲什麼，總之，他没殺人。』

『這麼說，他就一定要找到國島了……』

北川突然往路旁積水處用力一踩，嘴裡大罵：『王八蛋！』濺起來的水把他和幸田的褲管都弄濕了。

越過肥後橋，看見老頭走在土佐堀的遊河人行道上，相距不到二十公尺，可以清楚地看見他手裡拿著一個透明的酒瓶。那一頭銀髮和那走路方式，一眼就認出來了。

剛才出門時，他明明拿著雨傘，現在雨傘怎麼不見了。看著他的背影，幸田的腦海裡突然有一種似曾相識的感覺，不由得停下腳步。從那老頭走上斜坡的背影，幸田看到了身穿黑色長袍，手提著黑色手提包的神父的背影。

『喂！幸田……』走在前面的北川，回過頭來說：『你走快一點好不好！』

『……好的。每一次我看到老頭時，總覺得他的身影非常熟悉。』幸田喃喃自語地說。

『你覺得他長得很像什麼人？』

『很像一位以前住在這裡的神父。』

『是你每次喝醉酒都會提到的那個神父嗎？但是，老頭和他到底是什麼關係呢？』

『應該是沒有關係吧！』

『你的意思是說老頭和神父是完全毫無關係的兩個人？』

『是的，那位神父和我們這種老百姓有著很大的差別……，走吧！』

老頭的背影已經消失了，就像山坡上身穿黑色長袍的神父，數十年來不見踪跡，卻鮮活的記起小時候曾向那男人扔石頭。

艾美身穿一件鵝黃色洋裝，坐臥在柔軟的沙發上，修長的雙腿疊放著，因爲裙子太短了，以至於臀部都露出來。野田緊緊地摟住她的腰，手掌正好放在她露出來的臀部上。仔細一看，空著的那隻手從艾美的短髮、臉頰、頸子，一直輕撫到她的胸部。

幸田和北川坐在與他們僅有一背之隔的沙發上，桌上放著兩個啤酒已經喝完的杯子。對於野田泡妞的技巧暫且不說，豎耳傾聽的是重要的談話內容。

經過野田的妙手琢磨過之後，艾美全身上下都散放出光芒，已經不再像上次見到時害羞；而且，不停地說著話，偶爾還發出清脆的笑聲。

『現在想起來，我還覺得好像是在做夢呢！……野田先生，你知道在京橋的對面，櫻之宮公園附近有一座橋嗎？』

『是連接大川和土佐堀川那一條嗎？』

『是的！國島告訴我，他就是喝醉酒，倒在橋旁的長凳子上，……醒過來之後，才發現有個年輕人，正拖著一個人，不！應該說屍體吧！好像要拖到河裡丟掉。小國那個笨蛋，竟然故意從板凳上坐起身來想看清楚。這麼一來，對方就看見國島了。真是笨哦……！』

『他敢故意坐起來，看清楚兇手的長相，爲什麼後來卻要躲躲藏藏的呢？』

『因爲，對方瞪大眼睛看著他呀！如果是一般人的話，應該會害怕得連忙逃走，而他卻一副兇狠的神情……』

『對方大概是暴力組織的成員吧！』

『因此，小國就開始害怕起來了。』

『國島說過他能清楚記得對方的長相嗎？』

『他說如果讓他遇到，一定能立刻認出來……，可是小國的記憶力很差勁的，而且，眼睛也有問題，因爲維他命A不足，在晚上的視力不佳，這是他自己說的。』

『那麼，國島遭到威嚇嗎？』

『嗯！沒有啊！』

『發現有人在跟踪他嗎？』

『嗯！他覺得好像有，但是……』

『那他根本用不著這麼害怕，……應該一直保持沈默，保持沈默什麼事也沒有。你應該這麼告訴國島。』

『我跟他説過了呀！可是，他不行呀！其實小國非常膽小，有時候像個小孩子似的……』

『這樣你才會表現出母性的本能！』

『不來了，你又要笑我了！』

艾美説著，吃吃笑了起來。野田的手已經使艾美的身體完全融化了。

『國島到底住在那裡呢？我想見見他……』

『他住在西田附近的朋友家中，我畫地圖給你看。』

『好的，你畫吧！我想明天和他見個面，你有鑰匙嗎？』

『有。』

『艾美，你願意忘掉國島嗎？我知道這些話對二十來歲的小女孩來説，實在太殘忍了，但是，我求你忘了他，好嗎？』

『我和小國已經很久沒有連絡了。』

『這一點我知道。其實，我真正想説的是希望艾美不要把我忘記了，讓我取代國島在你心中的地位。』

『小國自己一個人也能過得很快樂，他是這種人。』

『這樣最好，艾美，你放心，我一定會讓你快樂，只要是你高興，我願意為你做一切的事情。』

『又來了……』

沙發的背後響起一陣竊笑聲。『你們在搞什麼鬼啊！』野田說。『對不起！』北川低頭致歉。艾美大聲地笑了起來。

野田帶著艾美起身，走過北川的桌子旁邊時，從野田手中掉下一把鑰匙，和一張字條。野田摟著女孩子肩膀的穩重背影，很快地消失了，北川將字條交給幸田，上面畫著簡單的地圖，北川抓起鑰匙，喃喃自語地說：『今晚即刻行動。』

凌晨一點鐘，北川和幸田來到了阿倍野區的西田邊街附近，一走出地下鐵車站，北川就鑽進一間小酒吧，幸田則在車站旁的麵攤，叫了一碗麵。照艾美畫的圖來看，只需五分鐘就可到達國島住的公寓。

一點十五分，北川從酒吧出來，幸田也離開麵攤；大約走了三十公尺之後，兩個人再會合，一起走到地圖所指的那棟公寓入口，正好是一點二十分。戴上準備好的帽子，以及手術用的橡膠手套。這棟有陽台的公寓，沒有一扇窗是點着燈，所以，即使沒有鑰匙，也能輕易進入房間內。

北川轉過身，背着幸田，撒了一泡尿。幸田檢查一下口袋，確定前幾天在附近的超市買的一把刀子，是否還確實放在口袋裏。

在走廊前的樓梯口，先觀察數十秒鐘之後，北川先進去，將耳朵貼在門上，然後插進鑰匙。門打開之後，北川招手叫樓梯口的幸田進來。

門口擺着一雙高跟鞋，看起來不太像是艾美的尺寸，而且，鞋底沾滿泥土。或許是國島帶另外一個女人回家過夜。北川搖搖頭，兩個人脫掉球鞋，走進玄關。

六個榻榻米大的廚房裏，有一扇紙門，他們先確定瓦斯栓和瓦斯漏氣警報器的位置。幸田先打開警報器的蓋子，放鬆保險絲，又剪斷電線，再蓋上蓋子，然後打開瓦斯栓。

然後推開紙門，八個榻榻米大的房間裏，有一張雙人床，窗簾是緊閉着的，床上橫躺着一對男女。因爲男的臉朝下，所以無法認出是不是國島。桌子上有一瓶威士忌，和兩只杯子，女人的手提包，還有一個堆滿煙蒂的煙灰缸。

沒有想到國島的房間裏會多一名女人，北川看看幸田，一副莫可奈何的神情。幸田堅決的搖了搖頭，已經過了三分鐘，整個房間裏都充滿瓦斯的臭味，幸田和北川趕快到陽台上吹風。

過了一會兒，從房間裏傳來一陣呻吟聲，北川和幸田再走進房間，幸田用力按住國島，另外一雙手取出刀子，往他的手腕割去。然後，再將刀子放在國島的手旁，僞裝成國島自殺的模樣。突然，天空閃過一道夏末無聲的閃電，幸田想起穿着藍色裙子的母親，去見神父的日子她總是心情很好……。

接着北川到廚房的水龍頭下幫幸田洗手，沾在手套上的鮮血已經開始凝固，袖口也沾到血跡。北川拿着手電筒，再從房間仔細檢查到廚房，看看地板上是否還留有血跡。

辦完事情之後，再穿上球鞋，離開房間，將鑰匙重新鎖上；爲了不引起別人注意，下樓時一個一個走下去，然後北川往長居方面走，幸田則在附近的巷子裏繞了一圈之後，搭上JR阪和線往南田邊町。

下火車後，幸田偷了一輛摩托車，回到土佐堀。他撿了一些舊報紙，鋪在板凳上，一直躺到清晨。雖然睡不着，但是他一直緊閉着雙眼。

事情一開始，他就認爲沒有必要殺國島，現在爲什麼又把他殺了呢？如果是爲了住田的金塊，根本用不着殺人。難道是爲了代替桃子，而把國島殺掉的嗎？這個理由更牽強了。一個連自己的哥哥都能殺的人，再多殺一個國島，又算什麼呢？讓我做這種事，難道他自己是杜斯妥也夫斯基？

爲了讓身心獲得充分休息，他決定兩天不管搶劫銀行的事，準時上下班。

看過了全國的報紙，没有找到與國島有關的新聞。北川打電話來說，瓦斯並没有爆炸，男的失血過多，女的瓦斯中毒未死獲救。警方是否認爲是殉情自殺的倒無所謂，如果有他殺的嫌疑，報紙上一定會登出來的。

北川又說，這件事情暫時對野田保密。因爲北川第二天和野田見面時，說：『昨天晚上没成功，我們走到附近，就看到國島帶着一個女的回家，這個人不是艾美。我們一直在外面看着，看他們熄了燈，我們只好回來了！』野田聽了笑笑說：『没想到那個傢伙比我還風流。』

北川將鑰匙還給野田，野田又還給艾美時，將事情又重述了一遍。早晚艾美和野田都會知道國島殉情自殺的事。

第二天下午，北川開着一輛六噸的卡車，停在幸田的公司旁。爲了和前往名古屋的司機交班，他必須到寺西倉庫取回運往名古屋的貨物。幸田在冷凍庫裏的工作已經把他累慘了，北川只好自己操縱起降機，將五十個箱子搬上卡車。

出貨單蓋好章之後，北川探頭看看冷凍庫裏面的動靜，找到了身穿防寒衣，坐在空無一物的架子上，没事找事做的問：

『怎麼了？』

『什麼怎麼了？』

『你還好吧！』

北川的語氣前所未有的温柔，這是最近難得聽到的。這一種温柔的聲音，使得在零下三十度凍僵了的肌膚融化，而感覺到一陣刺痛。『如果你覺得很好，我也壞不到那裏去，因爲我們兩個是半斤八兩！』幸田帶着不高興的口吻説。

『傻瓜！』北川輕聲地説着，拍了一下幸田冰凍的臉頰，北川很想對幸田説一些鼓勵的話，他擔心幸田才來看他。而自己的心情也很複雜。幸田當然可以感受到北川的心情，於是，他伸出手來，緊握住北川，也説了一句：『傻瓜。』

當天晚上，幸田打電話到老頭的公寓想找桃子説話，桃子已經回來一個星期了。變電所的偵察工作應該要終結了。

『今天晚上三點。』幸田說。桃子的聲音毫無感情只回答說：『我知道了。』聽不出他此刻的心情到底是不是還願意參與這項工作。

凌晨三點，桃子手提一個裝着繩索的紙袋，和幸田一起走進位於田蓑橋附近一座停車場旁的小巷子裏。爬過擋在巷口的一座鐵欄杆，就是關西建築物管理公司的後院，從這裏可以看到變電所高兩公尺四十公分的外牆。

幸田踩在桃子的肩膀上，用繩子綁住了鐵絲網，然後慢慢爬上去。桃子也沿着繩索爬過鐵絲網。收起繩子，尾隨幸田越過鐵條鋼柵，跳了下去。

一面大水泥牆上，沒有一個窗户，只有在北邊有一扇門，好像是通往控制室。門上各上了一把洋鎖和一把對號鎖。

趁桃子在觀察周圍環境時，幸田開始研究那兩把鎖。因爲這裏是車輛的出入口，所以不能使用手電筒。幸田帶來數種鑰匙，只要是市面上賣的鎖，基本構造上都不會有太大差異，幸田自信没有他打不開的鎖。但是，真正困難的不是開鎖，而是上鎖。

開了鎖，推開鐵門，裏面竟然點着夜燈，讓他們感到非常驚訝。從一個完全黑暗的地方進到這裏面，有一種異常明亮的感覺，直到眼睛習慣之後，才發現只不過是一盞螢光燈。

變電所的正中央，縱列着六台變壓器，桃子一邊向幸田解釋變壓器的構造，一邊掀開變壓器上窗型的小門。在每一扇小門的內側並排着各種開關、斷路器和保險絲；在這些的背面還有一排窗户。

桃子爬進其中一扇窗户，裏面有數十條的電纜，還有一個附計量器的四角型箱子，桃子說：『這裏就是母線的入口。』

『要記好，這裏是入口。』桃子又說了一次。幸田對着這些纜線裝置，拍了一張照片。

『母線和變電器是相通的，如果在這些纜線的內側裝上炸藥，不用擔心會被發現。除此之外，還有一個地方也很合適，就是那邊，正中央有六萬六千伏特的電力。』

桃子走進地下室，指着三條並排的高壓電纜說：

『這裏也拍一張照片吧！』

『桃子，安裝是你的工作，你自己清楚就好了。』

『不，萬一非你安裝不可，你要怎麼辦？』

『有什麼萬一的情況呢？』

『萬一我不在，……例如死了，或者被捉去關起來了。』

『……國島又不是你殺的，你何必操這麼多心？』

桃子不回答，他移開視線，想走到別的地方去，但是幸田擋在他的前面。

『桃子，我問你一件事，你爲什麼不殺了國島？你是爲了堵住他的嘴，才去跟踪他四天，爲什麼不乾脆把他殺了呢？』

『我認爲連那種男人都殺，活下去一點意思也沒有……』

『這是你的理由？』

『算了，走吧！』

桃子先走出地下室，幸田想要再問他一些問題，但是桃子頭也不回地走出去，幸田只好鎖好門之後，也離開地下室。

走到前門入口處，這裏也點着燈，而且比本館更亮。在這裏並列着各式各樣的繼電盤，幸田分不出哪一個繼電盤是作什麼用的，桃子只好一一加以解釋。

桃子大致看過一眼之後，決定好安裝炸彈的位置，最裏面的母線用來保護繼電盤的內側中央，和壓氣室的附近。這時候，故障表示盤上突然亮起白燈。

桃子站在表示盤前，靜靜地凝視着。燈光靜靜地閃爍着。

『好像變壓器發生了差動，大概是因爲没有好好保養的緣故。』

桃子說着，又附加了一句：『我們最好趕快逃。』

『可能是隔離操作的開關來不及關上所造成的故障，作業員一定會立刻趕來，我們趕快走吧！』

桃子說着就抓起幸田的手，往外跑去。花了一分鐘的時間將門重新鎖上，然後兩個人跑進狹窄的院子裏，開始沿着繩子往上爬時，從田蓑橋的方向傳來一陣車聲。桃子已經爬過鐵絲網，跳到圍牆外了。接着幸田也爬上了圍牆，正要翻過鐵絲網時，駛進車輛出入口的車子的後照燈，將四周照得通明。幸田想往下跳，但是腳卻動彈不得，因爲牛仔褲被鐵絲網勾住了。

桃子又在下面叫他：『幸田，把繩子丟下來！』

幸田拉起留在院子裏的繩子，丟給桃子，然後桃子又沿着繩子爬上牆壁。桃子一手抓住繩子，一手幫幸田解下勾住牛仔褲的鐵絲網。

車輛出入口傳來一陣開鎖的聲音，接着四周又陷入一片黑暗。

幸田和桃子一起跳下圍牆。

『如果北川知道了，一定會後悔今天沒有跟我們一起來。』

桃子不出聲地笑了起來，只看見他的雙眼露出淚光，可是幸田並沒有笑。

『這是一直想找死的人所說的話。』

『如果不這樣想，你叫我如何活下去呢？我們兩個人的情況不同啊！萬一有人去告密的話，我至少也躲不過一場牢獄之災……』

『桃子，很遺憾，你會好好地活下去的，因爲國島已經被我和北川處理掉了，你聽到了嗎？』

桃子沒有回答，他一直低着頭，緊抱膝蓋蹲着，而且身體微微地顫抖。

『幸田，我覺得很對不起你們，……我一個人住在這裏，人生地不熟，我很想對別人說我殺死哥哥這件事，但是，我不知道要告訴誰；我想去教堂懺悔，但是始終無法付諸行動。……你安靜地聽着，我雖然讓你看了那把手槍，但是我什麼話也沒有對你說，因此，我覺得很輕鬆，可是相對地，你卻感到很苦……』

『我變成你的耶穌基督。……不過，我是爲了想殺國島，才去殺他的；是我自願這麼做的。』

幸田說着就站起身來，桃子也站起來。

穿過關西建築管理株式會社的小巷子時，桃子的手一直搭在幸田的肩上。

……聽北川說你有聖經。

你的事我什麼也不知道，但是那一天想和你聊聊神明，談談心中的事……。

幸田搭乘頭班電車回到吹田，在片田町的坡道上散步了十分鐘，才回公寓。

公寓的玄關旁有一輛摩托車，春樹坐在車上抽煙，看他的模樣大概不是很高興。

幸田看看摩托車說：『為什麼要買單引擎的呢？』

『……雖然只有單引擎，但是回轉速度快，騎起來感覺滿不錯的。』

『為什麼不買那些飛車黨那一種的？』

『在大阪買那種車幹嘛？我喜歡這種單引擎的！』

春樹的話聽起來也滿有道理的，幸田又仔細打量着摩托車說：『看起來好像很好騎。』春樹沒有任何表情地說：『還好啦！』

『對了，你來這裏找我，有事嗎？』

『我哥哥叫我來的。』

『這個時間？』

『已經天亮了啊！』

『你等多久了？』

『十分鐘。』

說謊，至少引擎已經全冷了，應該已經等了半個小時或一個小時，甚至更久了；而且，北川是不會在這個時間來找他的。十萬火急的話，他會穿着睡衣、拖鞋自己衝過來。

幸田看看春樹，從他蒼白的臉色，不難猜他也是一夜未曾闔眼，再加上眼神游移不定，好像一隻手指頭就能將他推倒似的。

『好吧！你載我去找你哥哥吧！』

『這是第一次，也是最後一次了。』

春樹發動車子，嘴裏喃喃地唸着：我是從來不載人的。

星期天清晨六點鐘，路上的車輛不多，被飛車黨霸佔了一整晚的馬路，現在已成爲真空狀態，對春樹而言，簡直像一座新天堂樂園。

春樹一邊騎着車，一邊吼叫着，隔着安全帽，聽不清楚他在叫些什麼，不過他確實發出斷斷續續的叫聲，聽起來好像山谷間的回音。摩托車在雙線車道上飛行，安全島上種滿了花草，路肩則是一道水泥牆，這裏大概是萬博公園的外環道路，春樹又開始叫了。

馬路上的白線隨着機車一起扭曲起來，吹過耳邊的風逐漸變得緩和。突然覺得臀部往下滑，刹那之間有一種失重的感覺，只聽見自己『哇！』地大叫一聲。

然後在地面上翻了幾個觔斗，聽見一陣小樹枝被折斷的聲音，又受到一陣猛烈的撞擊，眼前一片黑暗，太陽穴直冒金星。

春樹坐在黃楊木下，盯着幸田看。

『跟你說了好幾次別睡，別睡。』

『我並沒睡啊……』

『那爲什麼會掉下去呢？』

『我怎麼會知道，大概是地心引力的關係吧！混帳！……你的車子呢？』

『車子還好端端地呀！只有你自己掉下去而已，因爲我只是想要迴轉而已。』

車子停放在安全島的中央，在強烈的陽光照射之下，看起來閃閃發光。這是一種好久沒有過的痛。心想要有一陣子動不了了。

『壞掉了嗎？』春樹從地上撿起一台傻瓜相機説。

『你一定是在後面睡着了，如果你想睡的話，就不應該搭我的車子……』

『我没有睡啊！』

陽光漸漸暖和起來了，兩旁的道路不時有車輛通過，春樹默默地吸着煙，幸田躺在草坪上。

『幸田，我希望能早一點開始，做什麼都可以，……每天都想這件事，放手一搏，然後就收手……』

『我不這麼想……，以前，我一直想儘快把事情解決，但是，現在的想法完全不同了。許多事情都是拖着過日子的，問題是如何拖動自己。』

『我不想要這種人生！』

春樹説着站起身來，伸手將躺在草地上的幸田拉起來。

『幸田，你怎麼老是一副心不在焉的模樣呢？』春樹喃喃自語着，因爲幸田不搭腔，所以春樹又繼續説：『幸田，從今天開始，我不要再等你們分配工作給我，我要一直跟踪着你。』

『你現在也在跟蹤嗎？』

『現在不算！』

站起來時，因爲陽光太強烈，而感到一陣頭暈目眩，幸田只好趴在春樹的肩上，倚靠着他前進。

幸田和春樹繞了一大圈，最後又回到南千里，買了幾塊甜甜圈充當早餐，吃完已經九點了。然後，接到北川打來的電話，叫他們出去。

北川載着妻子和小孩，叫他們在車站前下車，小孩子背着一個小水壺和背包，北川的妻子也穿着牛仔褲，兩個人要去天王寺動物園。小孩子拍拍自己的肩包說：『這裏有便當，煎蛋、香腸，還有我最喜歡的紅蘿蔔。』

『帶他去動物園最簡單，他可以趴在欄杆上看猩猩，看一整天也不嫌累。』北川的妻子笑笑說。幸田的嘴開了又闔，卻連一句問候的話也說不出口。春樹根本都不正眼瞧他們，只是悠哉地看着當父親的北川，一副窘迫的模樣。送走了妻子和小孩之後，北川換了一張臉，對着幸田和春樹，露出詭異的笑容說：『我有好消息告訴你們。』

三個人走進一家咖啡店，這是一家開放式的店，裏面燈光明亮，找到一個靠窗邊，可以照到太陽的位置，坐下來之後，北川開始談起炸藥的事。

『我不想玩那種弄到一兩顆炸彈的小兒科遊戲，帝國火藥公司，你們聽過嗎？』

『天哪！莫非你想偷襲火藥工廠？』

『先別大驚小怪！群馬的高崎工廠我曾去看過，想要破壞並不容易，所以，我們的目標是火藥運送車。我所謂的好消息，我已經掌握到一輛從高崎工廠出來的運送車。』

『你這個傢伙實在太厲害了……』

幸田聽了也覺得大吃一驚，因爲火藥或炸彈的運送，除了通知都道府縣知事和各警察單位，時間和運送路線絕對不可以讓外人知道。因爲大家都想知道，大家都想要搶；至少幸田所知道的恐怖份子，一定千方百計想獲得這個消息。

『負責那種特殊危險物的運輸公司非常有限，不過，我有一位朋友在月岡組運輸公司，他們就擁有運送危險物的執照。昨天我剛好有點事情必須前往月岡組辦公室一趟，在有些髒亂的辦公室裏，看到一面寫着工作安排的行事曆，我無所事事地瞧着黑板，看到三十一日那一欄寫着「帝國火藥」，當然不是寫全名，只寫着「帝火」。』

北川拿出一張空白紙，放在桌子上，上面寫着『帝火、高崎、AM五：〇〇、東名、名阪、經松原、中環、界、泉北/木下、山田』。

『高崎所謂的「帝火」，只有「帝國火藥」一家，路線是從名古屋經東名阪、西名阪，在松原出了中央環狀線，到界、泉北，所謂的泉北指的當然是關西新機場。火藥製造業因爲新機場的完工而繁榮起來。「木下、山田」是運送員，法律規定至少兩名。』

『那麼，我們是從高崎追過來嗎？』

『一台從高崎，另外一台在名古屋等着，車子一出了東名的一宮交流道，國道不是分爲往岐阜方面和往名古屋方面兩條嗎？我們的車子先等在往名古屋方面的入口附近。因爲這裏是從四線道變成二線道的地方，車子一定會先停下來。運送車五點從高崎出發，到達一宮已經下午兩點了，大白天不可能跟丟。而且車輛的前後左右都有明顯的標幟，寫着一個白底紅字的火字。』

『但是，運送的也可能不是炸藥……，因爲那家工廠除了炸藥以外，應該還有很多化學藥品吧！』

『藥品工廠位於保土，而且，只要車上有火字的，一定是炸藥。如果是子彈的話，拿回來桃子也會改裝！』

『最好帶着桃子一起去。』

『那當然，那傢伙能從卡車的貨櫃中，正確地選出那一包是我們所要的火藥。工廠的包裝一定非常近似，我們外行人絕對不會分辨。』

『現在距離三十一號，只剩下兩天……』

『是的，所以我們得加速步伐，最慢在明天以前就得將車子準備好。』

『車子我可以幫忙。』春樹插嘴說。『TOYOTA的可以嗎？我會刻TOYOTA的鑰匙。』

北川看了春樹那張沒有表情的臉一眼，說：『TOYOTA夠高級了。』說着嘴角露出一抹神秘的笑容。

『車子找到之後，必須重新噴漆，這是野田和春樹的工作。圭子的父親在千代崎有一家出租停車場，可以暫時借我們使用。』

從來沒有聽過他太太是千代崎出身的，那是木津川旁地下工廠密集的地方，不過，據說那裏是不少有錢人覬覦的地方。

『細節明天再討論。哦！對了，幸田！桃子……近況如何？』

『你是指那一方面？』

『中之島那邊進行得怎麼樣？』北川的銳利眼神直視着幸田，幸田故意裝作沒看見地說：『啊！正在進行當中。』

『太好了！接下來該開始共同溝的工作了，可以叫野田潛進去，不過你和桃子必須跟着去。』

『我去也沒有用，因爲我一點也看不懂啊！』

『我要你看的不是那些電纜，而是野田。野田那個傢伙，我從一開始就不信任他。』

『我知道了！』幸田回答。

談到這裏，幸田突然感到一陣濃濃的睡意襲來，管它是帝國火藥，是共同溝，或是桃子、國島，甚至住田的十億金塊，和巨大的睡魔相比，這些都顯得微小多了。

朦朧間聽到春樹和北川的對話。

『幸田睡着了！』春樹說。

『讓他睡吧！從學生時代開始，他就是以貪睡出名了。』

十月三十一日，星期二，前一天晚上，北川和桃子就開着可樂娜從大阪出發。根據春樹的意見，將車身漆成綠色，上面再寫上『玉川電器維修有限公司』。

這一天，幸田當然沒有去上班，他向公司請了假，說是感冒了；老闆以爲他每天在冷凍庫裏工作，身體受不了，於是囑咐他好好休息。春樹仍然照常去上班。

上午九點，幸田在朝日大廈前搭上了野田開來的白色轎車。九點半左右，從吹田交流道上名神高速公路，抵達名古屋市內將近十二點半。因爲京都附近發生多起車禍，使得塞車情況嚴重，多花了一些時間。十二點四十分，野田將車子停在一宮交流道出口附近的國道二十二號線人行道上。對面正好是一個加油站，所以這個位置有些顯眼，不過，已經找不到其他更合適的位置了。

車上的後視鏡特別換了一面特大號的鏡子，野田仔細調整角度，讓後方的四線來車都能完全照在這面鏡子裏。國道的交通量和大阪的外環狀差不多，但是車速比較快，大概是路面比較寬敞吧！野田集中注意力，看着每一輛對面的來車。

幸田調整收音機頻道，聽各地的路況報導，今天名古屋以東連一件事故的消息也沒有。工程只有名阪國道福住附近的修補工程，因爲這一帶只剩下單線通車，所以一公里前後有塞車的現象。

北川在三天前就得知工程的消息，原本對這裏抱着極大的希望，因爲火藥運送車可能會避開施工區。因而，變更計畫，襲擊方法也隨着改變。計畫完全是依據襲擊地點，運送車如果離開名阪高速公路，則進行A計畫；如果在施工塞車現場，則使用B計畫；到了泉北終點站，就改用C計畫。

北川認為，將運送車從名阪國道一直追到鄉間小道的A計畫，最安全也最容易成功。再加上運送車因為要避開施工路段，而改走國道的可能性也很大。

野田對這件事也非常慎重，事先做好具體而完備的準備，因此，他在下午一點半左右，曾一度離開車子，走進路旁的公共電話亭。

他打電話回家，將訊息輸入個人電腦的網路中，數分鐘後，PC—VAN的連線系統將全國的個人電腦畫面全部顯現出來，然後輸入程式，事成之後程式會自動消失。

在修路工程附近的『一本松』交流道旁，有一座自衛隊的射擊場，在這裏安裝了數百台電腦，當地的訊息會完整不漏地輸入電腦。到了下午兩點左右，電腦螢幕上顯示，一本松的出口已經被封鎖了，十之八九這個路段也已禁止通行。因此，從公司的無線電話、收音機或路上的電光揭示板，獲知消息的運送車，一定會在前一個交流道就下高速公路，改走國道三六九號線。

北川也從螢幕上讀到這則消息。

下午一點三十五分，野田回到車子裏，打開一包酒釀饅頭，對幸田說：『肚子餓了吧！要不要吃一個呢？』幸田也開始吃饅頭，時間是四十分。

一邊吃着饅頭，收音機裏傳來一個甜美的女孩子聲音，播報着插播新聞：『今天下午一點三十五分左右，全國的電腦網路有病毒的訊息侵入，現在警方正在調查。』

北川應該也聽到這則消息了。

播音員繼續說：『因爲名阪國道可能會禁止通行，希望各位駕駛繼續收聽廣播。接下來，我們欣賞一首點歌，中森明菜的……』

下午二時六分，後視鏡裏出現一輛四噸的卡車，距離約五十公尺，前面有四台轎車，它們所行駛的是中央的車線。和其他大型的卡車並排在一起，顯得非常嬌小，不過車子的正面很清楚地可以看到一個白底的紅字——『火』，緊跟在後的是北川所駕駛的可樂娜。

野田看到後，立刻起動引擎，車子駛進中央車道。

到了東名阪的入口，後面有五輛轎車，然後是火藥運送車，後面又接着兩輛轎車，才看到北川的車子。

『看得見嗎？』

『如果能減少一輛的距離更好。』野田說着，就開始左右移動，減少後面的車數。

過了一會兒，當名古屋高速公路與東名阪的入口分岐標示板出現時，後面的車數已經減爲兩輛，清楚地看見火藥運送車的左邊車燈亮起來了，這是準備駛向側道的信號。野田也立刻亮起車燈。

從清洲東到龜山的東名阪約六十公里，沿路都是農村風光，運送車的車速減到八十公里左右，這一帶的車流量比東名或名神少很多，但是大多數是十噸級的大卡車。

下午兩點四十分，收音機報告一本松附近正在路檢，雖然沒有禁止通行，但是一定會造成塞車現象，運送車或許會離開名阪高速公路。野田注意着運送車的動向，車子慢慢地前進。這時候可以看見運送車的駕駛座上的人影，但是相距一百公尺左右，臉型看起來還是非常模糊。

從龜山到伊賀上野，和運送車之間平均都間隔着兩三台轎車。到了上野交流道前，野田謹慎地減速，讓後面的車子一輛輛地超過去之後，暫時靠在路肩，讓運送車和北川的可樂娜先過去。

車子駛過了上野東，幸田將車內剩下的饅頭和煙蒂，一起丟出車窗外。似乎緊張刺激的好戲將要上場了。

火藥運送車在前面，隔着兩輛轎車之後是北川的可樂娜，野田的車子緊跟在可樂娜後面。隔着車窗可以清楚地看到北川和桃子的頭。野田向着前面吐吐舌頭，北川一定從後視鏡中看到了。

距離出口一千公尺的標識出現後，在運送車前面的車速已經開始減慢；北川前面的兩輛車速也減緩了。因爲一本松的路檢可能會造成塞車，所以大家都準備改道。北川的車速減緩後，野田也只好跟進。

當『出口四百公尺』的標識出現後，北川的車子駛入出口專用車線，前座的桃子回過頭來，打了一個暗號，幸田已經沒有看見那輛運送車了，大概是下高速公路了。

進入國道三六九號線，所見的盡是村舍和田野，雖然地圖上將這裏標示爲高速公路的主要幹線，但是和其他同等級的道路比起來，這裏實在太荒涼了。北川每個月都要經過這裏兩三次，所以對這裏早就非常熟悉了；野田爲了慎重起見，昨天也開着他的歐寶，先來探過一次路了。

運送車以車速四十公里的速度往前走着，另外兩輛一起下高速公路的轎車早已不見踪跡。

『差不多可以動手了！』野田喃喃自語着。幸田打開一個裝滿汽油的寶特瓶，將汽油全部倒在後座的座椅上。

午後的陽光照在安靜的田野上，放眼望去看不到半個人影，也沒有其他車輛經過。野田笑笑說：『如果這次失敗的話，恐怕會被人笑掉大牙！』

野田猛踩離合器，連向北川打個暗號都省了，這時距運送車只有四十公尺的距離；大約一百公尺前有一個大轉彎。野田的車子超過北川的可樂娜，接著又接近運送車。保持三速旋轉的引擎已經發出了叫聲，速度表上指著六十五公里。運送車的車身稍微向左靠，只花三、四秒鐘的時間，野田就超過了運送車，大轉彎就在十五、六公尺前了，野田卻沒有踩煞車，只是旋轉著方向盤，正對著一根電線桿撞去。

一陣巨大的撞擊聲和一股莫名的熱氣，從耳根一直熱到頭中心。

兩隻手抱住頭部，仍然感覺得到玻璃碎片從身上不停地飛過。睜開雙眼，已經看不見被撞到的那根電線桿了。野田立刻打開安全帶，踢開撞爛了的門，滾出車外。萬一車門打不開時，他計畫跳窗子出去。聽見轉彎處傳來一陣緊急停車的煞車聲，野田倒在地上呻吟似地叫著：『火柴，火柴！』幸田將一根擦亮的火柴丟進車內，也不管是否丟進去了，拉著野田跳進一旁的草叢裡。停在路旁的轎車立刻燃起熊熊的火焰。從緊急煞車的車窗中，兩個男人探頭出來，和燃燒的車子相距只有五公尺的距離。

這時候，緊跟在運送車後面的可樂娜，大聲地按喇叭，運送車的司機探頭往後罵了一聲，北川毫不加理會地又按了一聲。運送車前座的車門終於打開了，一個男人走下卡車，幸田看不見卡車，但是可以看見桃子正在應付這個從卡車上下來的男人；不到三秒鐘的時間，帶著大盤帽的桃子就跳上了前座，從可樂娜上跑出來的北川，也一起上了卡車的駕駛台。

北川從卡車司機背後給他致命的一擊，然後將他拖下車來，桃子也迅速的從另一邊拖下另一個，將兩人拖進草叢裡，用膠帶將眼睛和嘴巴都綁起來，連雙手都用繩子綑綁住了。桃子很快地搶下鑰匙，打開貨櫃的門。

『沒問題吧？』北川笑著問倒在一旁的幸田，幸田和野田一起跳上路邊，桃子早就把貨櫃打開了。

貨櫃裏放着二、三十個大大小小的木箱子，桃子一看貼在箱子上的標籤，立刻分辨出箱內到底裝著什麼東西。不到一分鐘的時間，可樂娜轎車的行李箱內，已經載滿了火藥。

這時候野田和幸田也已經將掛在運送車外的四塊『火』字招牌拆掉，同時將貼在可樂娜車門的『玉川電器維修有限公司』貼紙撕毀。

白色轎車早已燒成一團黑色灰燼，因爲計算得剛剛好，汽油都已用完了，所以不用擔心爆炸的問題。北川發動引擎，可樂娜轎車載著四個搶劫犯和四箱一共九十公斤的火藥，離開現場，這是一樁前所未有的大搶案。

十一月一日，星期三，全國的報紙同時利用最顯眼的版面，刊載著兩條新聞。

一條是有關前一天下午一點半，NEC的資訊服務網和PC－CAV的網路中，出現干擾訊息的新聞。這個事件出動了所有奈良縣警和自衛隊，進行各項路檢和交通管制，初步斷定是有人故意惡作劇。不過以影響的情況看來，兇手一定是一位對電腦非常瞭解的人。

另一條新聞是『炸藥被劫走，運送車遭襲擊』，關於這則新聞，警方非常關切，因爲它可能造成社會上極大的傷害。報紙上是這樣寫的：『經由路人看見一輛燃燒的汽車後報警，警方出動了櫻井和天理各警署的警力，在附近搜索的結果，下午五點多，發現棄置於國道三六九號線附近的卡車，貨櫃中有二十箱各種火藥，約四百五十公斤左右，其中四箱強力櫻級炸藥，約九十公斤左右，被劫走了。因爲擔心會對社會造成影響，詳細情節未加報導。

根據司機的證詞，犯罪集團一共有四個人，除了燒掉那輛車子以外，還有一輛白色可樂娜轎車，車身上貼著「玉川電器維修有限公司」，車牌是名古屋的。

四個人都戴著黑色大盤帽，其中一位身手矯健，對拳術頗有研究。

雖然還未查出兇手的動機，不過一次劫走這麼多的火藥，的確是前所未有的，以激進派組織犯案的可能性最高。』

當天早上，幸田覺得自己好像真的感冒了，大概是昨天晚上，身上只穿了一件毛線衣，在奈良縣的山中走了一整夜的原因吧！上午他還是進冷凍庫工作，下午請春樹代班。當他正準備離開倉庫時，辦公室那邊傳出有他的電話。

『幸田，好久不見！』電話裏傳來一個陌生而裝出來的聲音。

『你是誰啊？』

『山岸，四年前在池袋的青銅社，戴著象牙鏡框，坐在輪轉印刷機前那個男人，你還記得嗎？』

『不記得了，你有何貴幹！』

『我看了今天的報紙，立刻聯想到你。九十公斤的炸藥，的確不簡單！』

『你到底在說什麼？我要掛電話了！』

『先別急，我真正想找你的主題是另外一件事。……事實上，我是想向你打聽楚要煥這個人……』

『……你到底在說些什麼？』

『楚要煥並非八月二十五日在土佐堀川發現的那具屍體，他還好端端地活着，而且可能藏匿在你們的組織當中。我想見一見他，你能代爲引見一下嗎？』

『你找錯人了！』

幸田掛了電話，手心直冒冷汗。

微暗的棚架上，隱約浮現從前池袋那棟窗口的模樣。

青銅社位於豐島區高田二丁目的街角，裏面擺了一張辦公桌，和散置滿地的紙，看起來像一間小辦公室，其實從來不曾接過任何委託印刷的工作。

雖然掛著印刷公司的招牌，實際上從事的卻是製造火藥的工作。小小的一間辦公室裏，無時無刻不擠滿了人，有的躺在塑膠沙發上，有的圍在小桌子前下棋，這些人大多是遊手好閒的不良份子，當然也有一時工作沒有著落，先棲居於此的人。但是，幸田卻不記得坐在輪轉印刷機前面那個男子長什麼模樣。

背後響起一陣腳步聲，接著是春樹的聲音。

『幸田，吃點心了！』

春樹手上端着一個裝着一碗薑湯和一盤蛋糕的盤子，幸田喝了熱薑湯，蛋糕留給春樹。

大概是在冷凍庫裏被凍到了，春樹不停地搓著手，但是沒有說出一個冷字。

春樹没有問起昨天搶劫炸藥的事，這是他向來的脾氣。除非主動告訴他，否則他絕對不會開口去問，即使他很想知道。

準時下班之後，幸田請春樹載他回南千里，然後又自己搭地下鐵到梅田。梅田的地下街人潮向來非常擁擠，走到紀伊國書店，站在雜誌專櫃前，已經晚上七點了。

在人牆中看到北川，他正翻著一本『百萬人英語』，一發現幸田之後，他立刻轉移陣地，來到雜誌專櫃前。

幸田走在前面，北川尾隨在後面，兩個人相距約十公尺左右，幸田走下地下三番街的樓梯，在公共廁所裏等北川。

『有事嗎？』北川以輕鬆的語氣問著。

『今晚在老頭那裏的聚會，我不能參加。』

『到底發生了什麼事？』

『青銅社有一名叫山岸的男子打電話來找我，他們好像也在找桃子。』

『……真的！』

北川沒有再多說，默默地用綠色液體肥皂洗手。

『肚子好餓，要不要一起去吃什麼？』北川突然這麼說。

『我要回家了。』幸田說。

『陪我吃嘛！你現在回去，說不定有人在你家附近守著呢！』

北川掏出手帕，擦擦手，輕笑一聲。每當他表現出很輕鬆的模樣時，就表示他的心裏其實是非常緊張的。幸田和他相處了這麼多年。對他的脾氣早已瞭解得非常透徹。

『想吃中國菜呢？還是吃火鍋？』

北川說著，就抓幸田的手往外走，他握得特別用力，使幸田連逃都無處逃。

最後，北川帶著他去太融寺吃燒烤。北川通常都爲成員的人選一些熱的東西。

北川一邊吃飯一邊對幸田說：『幸田，你知道那些傢伙爲什麼要和桃子接觸呢？』

『不知道！』

『如果桃子他們是那麼重要的人物，他們應該早就採取行動了……。』

『我也是這麼認爲，桃子在這裡走動已經不是三五天的事了，他們說「好不容易才找到他」，一定是說謊了。憑那些傢伙的情報網，不應該是這麼差勁的。』

『不過，楚要煥這個名字可能是聽來的……』

『我也這麼認爲。』

『那些人的後台究竟是公安局，或是KCIA呢？』

『大概是二者之外還包括北邊的機關。桃子的哥哥想將桃子引出來，然後乘機把他殺掉，這當然是黨的命令。桃子可能在他自己的國家裡犯了罪，遭到處分。究竟是什麼罪，只有他自己明白。總之，他是不能再回國了……』

『或許是吧！』

北川仰頭將一杯酒一飲而盡，幸田看著他，謹慎選擇字眼，說：『如果我的猜測屬實，可能南邊想抓他，好讓他洩漏一些消息，北方則希望趕在南方之前，將桃子滅口。不論是南方或北方，會找山岸那票人馬來接近桃子，並非不可思議的事情。』

『幸田……你心裡有什麼打算呢？你想出賣桃子嗎？』

『出賣？』

『我從來不曾聽你說過和青銅社有瓜葛。』

『那是很久以前的事了。』

『……你恐怕也沈不住氣吧！不過，這層關係正好可以讓我們用來當障眼法。』

他能瞭解北川的意思，過去他曾數次向別人洩漏了與青銅社的關係，但是每一次都像暴露了舊屍體似的，不僅勾起不愉快的回憶。甚至連社會地位、人際關係都全毀了。所以北川勸他『不如趁這個機會，出賣了桃子，然後和青銅社斷絕關係。』

或許北川是對的，但是幸田搖搖頭說：『不，我不能隨便出賣桃子。』

北川沈默了一會兒之後，開口說：『我懂你的意思。』

他打了一個蛋，倒進鍋子裡，不一會兒工夫，就煮好一鍋蛋花湯，他將湯盛在碗裡，說：『趁熱吃吧！』

最後，還是決定北川一個人單獨到老頭家裡。

3

這三天來，幸田一直跟蹤著野田，白天野田和一般的上班族完全一樣，生活平凡，忙碌但卻規律嚴謹。第一天，野田上午九點整準時上班，半個小時後離開堂島濱的公司，中飯沒吃，一直待在北濱證券公司裡，離開北濱證券已經晚上八點鐘了。然後，一個人到心齋橋，簡單地吃碗麵，從麵店出來時，和一位朋友一起離開。接著兩個人走進一家酒吧，過了一個小時左右，帶了一個女孩子出來，野田攔了兩輛計程車，但是他並沒有和那個女的搭同一輛，而是自己單獨搭計程車回家。第二天，他也是早上九點上班，行程和昨天完全相同。

第一天，幸田已經發現有人在跟蹤野田，而且他兩次清楚地看見對方的長相。第一次是早上九點半，野田離開公司時。當他往西梅田的方向走去，後面緊跟著一輛開得極緩慢的送貨車，因爲九點半以前車子是停在公司對面，車子裡面坐著兩位身穿藍色作業服的男人，他們的長相似曾相識，但是名字卻想不起來。

第二次是晚上野田走進心齋橋的麵店時，一個男人正注視著店門口，一發現野田，立刻起身離去。雖然他的服裝有些改變，但是幸田一眼就認出是送貨車裡其中一個。

但是第二天，幸田自己也有點兒迷糊，因此不確定這兩個傢伙是否繼續跟蹤。

昨天晚上，野田八點多結束了梅田的工作之後，又到心齋橋的同一家麵店，幸田則站在斜對面三津寺的角落，旁邊正好是一家地下迪斯可舞廳的入口，所以陸陸續續有人進出，但是他爲了注意對面麵店的動靜，無暇顧及進出的人。突然間，有人在他背後拍了一下。

他想逃，但是已經太遲了。『是幸田先生嗎？』原來是艾美，正想開口說話，艾美往地上一坐，只好拉著她往外走。

『跳舞跳得太過火了，覺得有些不舒服。』艾美一邊說著，一邊大聲地唱歌。要她別唱了，反而愈唱愈大聲。

『我一直覺得幸田和岸口爺爺長得很像，不只臉很像，連修長的身材也像極了，還有你們都一樣很會照顧別人。幸田先生，說不定你是岸口爺爺的私生子喔！』

『你能不能安靜一點兒！』幸田大聲地罵著。

艾美像一顆洩了氣的皮球，往地上一坐，不敢再吭聲。

最後，幸田攔了一輛計程車，叫艾美自己回家。但是，多事的司機卻說：『小兄弟，這麼晚了，你應該送小姐回家！』

幸田無可奈何地坐上計程車，在車上艾美表現得非常文靜，一句話也沒有說了。

計程車在大門前停穩後，艾美突然一把抓住幸田的西裝領子，說：『送我上去吧！』然後用力把他拉下車。但是走到玄關前，卻看到電梯上貼著『故障』兩個字。

『送我上去吧！』

『不要！』幸田扯開她的手。

『幸田先生，你要我報警嗎？國島死的那一天，你應該還記得吧！應該是野田去找國島的，爲什麼換成你和北川呢？當然你們可以有很多理由去找他，但是，你們真正的目的並不是要找他，而是要殺他！』

『是野田告訴你的嗎？我們的確去過，但是我們看見他帶了一個女人回家，所以，我們沒有出聲就離開了。』

『胡說！你究竟做了什麼，自己心裡有數。如果你們不是目的已經達成了，你們會那麼輕易就將鑰匙還給野田嗎？況且，小國不可能爲那種女人去死。』

『……他確實帶了一個女人回家。』

『雖聽說過有個女人要和他一起殉情自殺，但那是騙人的，卻碰到了你們這群沒有人性的殺手。我原本是想報警的……但是，國島已經死了，人死不能復生，即使查出真相又有什麼用呢！天啊！我的腦子裡已經亂成一團了，究竟該怎麼說才好呢？』

『……你到底想說什麼？』

幸田突然警覺到說錯話了，太陽穴發燙。『幸田先生，你真是一個好人。』艾美現在卻又笑說：『你們這群男生，就屬你最好了。我真的很喜歡你呢！』

幸田不知該如何回答。他連一句『我送你上去』都開不了口。他並不是因爲這個女孩子的手曾被國島牽過，所以他不敢碰，其實，自己這雙手做過的壞事早就不計其數。

走出玄關，孤獨的身影融入夜色中，陣陣寂寞襲上心頭。

十一月八日，星期三，今天是第三天。

上午沒有發現跟蹤的人，不過他確信這個人一定存在，所以，他比前兩天更集中注意力。

下午兩點，野田走進三菱電機的大樓。三菱電機的對面是每日新聞社和每日會館，在這條馬路上還有很多家銀行和大企業，所以這一帶相當熱鬧。幸田背對著馬路，站在每日會館前，從會館玻璃門，可以清楚地看見在三菱電機進出的每一個人。

下午五點多，人潮漸漸顯得擁擠。突然間，眼前的玻璃上多出了一個人頭，很明顯地這個人就站在他的背後。幸田反射性地往下一蹲，一塊硬物從他頭上飛過，玻璃門立刻破成碎片。幸田立刻拔腿就跑。

地下鐵西梅田車站和JR大阪站相通的地下街，正處在顛峰時間，開始擁擠起來了，幸田擠在人潮中，往JR的方向走去。他慢慢地吸了一口氣，才發覺心臟正怦怦跳個不停。

到底被誰偷襲的？他連想都沒有想過。而且，他跟著野田不過第三天，竟然這麼容易就被視破，的確令人洩氣。

看看手錶，玻璃殼已經敲破了，針停在五點三分，幸田脫下手錶，丟進垃圾箱裡。應該將近五點半了，除了到九州去的北川之外，大家約好見面的。不知道野田的工作什麼時候忙完，但是春樹和桃子應該已經到小鋼珠店集合了。早上，打電話時，桃子特別吩咐：『你要早一點到！』春樹也高興地說：『我要向桃子學打小鋼珠。』

幸田走出地下街，右手邊就是整排的小鋼珠店和電動玩具店。在一家擺滿開店慶賀花籃的小鋼珠店門口，看見了春樹，他的旁邊坐著戴墨鏡、蓄鬍鬚、面帶微笑的桃子。

幸田在自動販賣機買了幾個代幣，坐在兩個人旁的座位上，小聲地說：『立刻離開這裡，有人跟踪來了。』

當小鋼珠店內的時鐘指著七點的位置時，幸田離開小鋼珠店，走進對面一家錄影帶出租店，從張貼著海報的玻璃門，窺視對面小鋼珠店的動靜。

五分鐘左右，野田出現了，走進店內。幸田等一、兩分鐘之後，走出錄影帶店，再度走到小鋼珠店前。他看見野田慢慢地走進擺滿花圈的店內，再等一會兒，野田發現沒有一個人出現，於是轉身又往出口走去，正好和幸田四目相接。幸田很快離開商店門前，往東邊走去。野田應該會追過來，在行人不多的馬路上，野田大概不會跟丟了。

走了大約二十公尺左右，十字路的綠燈一亮，十多人的人牆走動後，發現對面站了兩個人，直覺地以爲他們在注視著這邊，再加上他們站在暗處，而幸田的位置在亮處。於是幸田立刻停住腳步，往旁邊的店內移動。站在門口一位身穿紅背心的男人跑過來說：『一位客人！』

沒有看清楚店名，只看見門旁邊有一塊寫著『休息兩千元』的看板，幸田忍不住大吃一驚的同時，一位身穿制服的女人也重複地說：『一位客人！』

『還有一位，喂！趕快把他捉進來。』這個女人眼睛很厲害，野田很快地就被帶進來了，於是她又說：『兩位客人！』

『傻瓜！還不逃啊……』野田急忙跑出來。

『那邊是廁所啦！』女人說著笑了起來。

幸田被野田抓著，跑過狹窄的小巷子，碰到了廁所，碰到了儲藏室，碰到了另一家酒吧的門，也碰到上著鎖的門，花了五秒鐘開了鎖，逃了出去。

『天哪！這是什麼世界！』野田喃喃地說著：『幸田，你怎麼知道有人要抓我？那些人到底是誰？最近，我接到莫名其妙的電話，一拿起聽筒，對方就說「火藥的事情如果不希望我們洩漏出去，趕快叫幸田弘之來見我們。」

我又不是傻瓜，那些傢伙到底是什麼底細，我不用猜也會知道。至於你和那些傢伙的關係，我實在不想過問，但是，老實說我很猶豫，退出可能比較好。

不！說得更明白一點，我會害怕，理由是我們之間的談話被洩漏了，火藥這件事不應該這麼輕易就露出破綻，可能我們之間有人是間諜。』

『野田，我們之間不可能有人將火藥這件事情洩漏出去的。他們故意造謠離間我們。』

『這一點我不敢保證，也許是你，也許是桃子；不管是誰，都給我造成麻煩了。』

『……我也覺得很困惑，不過請你暫時忍耐一下。我負責，我有辦法叫他們不再來找麻煩。』

『跟我說沒用，我只不過是個平凡的上班族……』

野田準備要跑開，幸田一把將他抓住。怕他遭到攻擊。

『我們之間一定有間諜！』野田大叫。『我跟你打賭，一定有間諜。幸田，國島那件事你還記得吧！他不是自殺的吧……？』

『……你到底想怎麼樣？』

『你拿什麼臉來跟我談！』

『我再警告你一次。』

『你還算是一個人嗎？……雖然國島最後被視爲自殺，但是，你知道艾美被警方傳去訊問了好幾次嗎？她說警察問了她許多事情，她非常害怕，什麼也沒有說。但是，也許那一天她會把最重要的機密，向警方洩漏……』

『野田，我不要再說第二次了。已經知道這麼多計畫的人，沒有那麼簡單說要退出就退出，他只能將份內的工作如期完成，你不要忘記了！』

『你果然是和我們不同世界的人……。』

野田盯著幸田的臉，然後跑開。外頭安靜無聲。

幸田在巷子裡佇立許久，這三天來爲了尾隨野田所買的西裝，已被大雨淋溼了。不過，尾隨的目的已經達成了，尤其是發現跟踪野田的是山岸那一票人，至於野田的私生活，他完全沒有興趣。

十一月十日，星期五。

『桃子，你要搬家了。』幸田說。

老頭還沒有回來，最近他通常到凌晨才會回家，有時候甚至不回家了。廚房餐桌上還擺著桃子準備好的晚餐和老頭的碗。

『什麼時候？』桃子問，沒有絲毫驚訝的神情。

『現在。』幸田回答。

桃子悶不吭聲地站起身來，從櫃子裡拿出那只藍色提袋，將幾本正在讀的書裝進去，又放進去一件牛仔褲，然後和幸田一起離開。

兩個人走到韌公園旁，才攔下一輛計程車。

昨天早上和北川商量之後，決定叫桃子搬家。傍晚北川就幫他找到一間公寓，位於地下鐵御堂筋沿線的江坂，房租只有六萬，以北川的名義租下來的。五十萬的押金和以日計算的租金由北川和幸田各出一半。

在霓虹燈閃爍的車站前下了計程車，大約再步行五分鐘，就到了新家。房間在四樓。

桃子將提袋放在全新的榻榻米正中央，又從提袋裡拿出厚膠布包裹著的一包東西。好像一直都放在那袋子裡。

『那是什麼？』幸田問。

桃子說：『製造定時炸彈的材料，這是日本不容易取得的，如果要炸破金庫，惟有靠這種材料。』吹田公寓爆炸時，北川所看到的黑色黏土大概就是這其中之一吧。

桃子說著，就將這包東西枕在頭下躺著。幸田只好拿提袋來當枕頭。雖然覺得有些冷，但是情緒卻是不可思議的平穩。早這麼做就好了，想著想著就睡著了。

第二天星期六下午，北川下班後，載來了棉被等六大箱東西。還有熱水壺、餐具和洗臉用具，其他就沒有了。要裝得像一點就是北川的個性。

東西都放妥了之後，北川將一張摺疊整齊的紙，塞到幸田懷裡。

『這是野田從一位在大阪瓦斯上班的朋友皮夾子裡偷來的，瓦斯管鋪設平面圖。』北川說。和普通道路地圖一樣，只不過多了管線配置編號。在北濱四丁目的一角，用螢光筆作了記號。這就是共同溝的入口。

『事情是這樣的。』北川說：『昨天，野田把跟踪他的人揍了一頓，被巡邏警察以現行犯抓去關了一個晚上，他說是喝醉酒了。今天早上，打電話來我的公司，才知道他請假。跑到共同溝裡去。偵察的工作就是你和桃子兩個人的工作了，你懂了嗎？』

『我擔心他頭昏腦脹時，會對警察說出不該說的……』

『果真如此，明天我們每一個人都會被捕！大不了等著瞧！』北川不以爲然地說著，其實他正在壓抑心中的怒氣，這一點幸田非常瞭解。

桃子悶不吭聲地打掃著。北川回去後，幸田到江坂車站前的小鋼珠店，去找春樹。找到春樹之後，兩人到隔壁的小餐館喝酒，過了一會兒，桃子也來了。這家店裡上班族不少，不過卻是個談話的好地方，又可以喝酒。

春樹和桃子見過幾次面之後，對於這項工作已有最低限度的瞭解，尤其是有關製作炸彈的起爆裝置所需要的材料。這些材料是要花好幾天的時間，在大阪的日本橋和東京的秋葉原分開搜購的。因爲春樹尚無前科，而且辭職也没影響，最適合擔任這項工作。

十一月十三日，星期一，凌晨二時十分，幸田離開土佐堀遊河人行道的板凳。兩點，桃子應該也會從中之島公園的板凳出發吧。

走過肥後橋和住田西側高速公路旁的人行道，就是南側的北濱四丁目。根據野田的地圖，工作口的入口在住田本店和隔壁信託銀行之間的四角地帶。至少瓦斯管是在連接淀屋橋和肥後橋的東西向道路之下。

二時十五分，桃子的人影從愛日小學的轉角處出現，同時春樹也從阪神高速公路的高架橋下走出來，他的摩托車應該是放在橋下吧！

幸田用準備好的搭鈎將蓋子打開，工作口內傳出亮光，他没有想到裡面竟然還點著燈。垂直而下的空洞旁，有一排鐵欄杆製的階梯，幸田雙手攀住階梯，小心翼翼地爬下去。

爬了幾個階梯之後，看見桃子的腳也下來了，只有春樹，還趴在洞口張望。春樹從蓋子上掛著一條白繩子，準備萬一有情況發生時，拉動繩子通知下面。

好不容易才爬到坑道的底部，從地面垂直兩公尺距離的地方是共同溝的天花板，那坑道的直徑有三公尺，所以是在地面下五公尺。機油和鹽化乙烯樹脂及鐵鏽混合在一起，使得坑洞內漂著一股潮濕的異臭味。

不知道是緊張，或是纜線旁溫度比較高的緣故，已是滿身大汗。突然覺得有風吹來，涼快極了。

『怎麼會有風呢？』幸田問。

『從送風口吹來的。在信託銀行旁邊有一座看起來像郵筒似的送風塔。』

在坑道最底部，有一間巨大的水泥房間，天花板上還安裝著日光燈。

坑道兩旁的牆壁上，並排著三段式的架子，最下面一段是電力纜線，第二段是瓦斯管，第三段是NTT的通信用纜線。桃子迅速地打開野田的地圖，一邊數著架子上的瓦斯管，找出住田方向的管線，然後測出管線的正確距離，在圖面上記錄下一千四百五十公厘。

在纜線口一共縱向排列著七條纜線，包括上段的四條通信用，中段一條瓦斯用，以及下段兩條電力用的纜線，桃子判斷纜線口的位置應該在中央機械室附近。

『是這個嗎？』幸田又看看三段式的纜線問。

『是的，這個方向只有通往住田，不過，通信電纜和電力方面，應該沒有這麼單純，或許在別的地方還有另外一個系統……』桃子說。

『另外一個系統？』

『假使這個地方出了狀況，另外一個系統立刻可以取而代之。』桃子一邊說著，視線又落在鋪設圖面上。

『最近我們經常在土佐堀川附近走動，但是從來沒有發現一個地上變壓器用的設施，連瓦斯管都沒有通過土佐堀川旁，也沒有從住田和信託銀行之間通過，因此可以斷定所有的電纜都沿著住田西側的高架橋架設的。就是這個位置……』

桃子在阪神高速公路旁的住田地下停車場的一角，用紅色原子筆畫上一個圈圈。

『瓦斯管並沒有通過這裡，大概是電信專用的電纜吧！』

『從停車場的警衛室可以看得很清楚……』

『是的，所以說從這個工作口進入，成功的機率幾乎等於零，因爲警衛室裡二十四小時都有人。』

桃子畫上紅圈圈的地方，和目前他們所站的工作口非常接近，從地圖上看來，在地圖上相距僅有數公厘。幸田突然想到桃子畫起來這條管道，可能和現在的工作口是相通的。

『如果相通的話，就失去備用的毫無意義了，應該是在坑洞的上面或下面的另外一條。』桃子說。

『等一下，你畫紅圈圈的地方和我們現在的位置，到底距離多遠呢？』

『從平面圖上看來，不到一公尺。』

『那麼，只要是紅圓圈附近的位置，都應該可以安裝炸藥，因爲距離管路不到一公尺，很輕易就可以將它炸破，就像爆破隧道一樣。』

『爆破……』

桃子說著，就拿出皮尺，一邊測量距離，一邊往肥後橋的方向前進，並且在圖面上記錄正確的距離。不習慣看瓦斯管的號碼，但不如用捲尺量來得快又正確。

這個洞穴微微地傾斜，好像正在往上爬，水泥地面上有些潮溼，球鞋走在上面，發出沙沙的響聲。傾斜是爲了排水而做的，所以排水管應該要在某處。

再往前走了一百公尺，又停住腳步，牆壁上依然是三段式的電纜。想像著離這牆壁一公尺的地方埋設著管路。

『埋得這麼深的通信電纜，應該不是普通的電纜。』

桃子一邊說著，一邊用粉筆在架子最上面一層不顯眼的地方，畫了一個紅圓圈。

大功告成之後，原班人馬再退回原來的工作口，幸田先爬上去，但是往上一看，白色的繩子不見了，只好再爬下樓梯，只說了『換個出口』。

不到三分鐘的時間，就通過剛才做過記號的地方。發現一個新的工作口，一樣有梯子，也可以看見蓋子，但是不知道蓋子外是什麼地方。

突然有一股強烈的衝突，想要離開這個地方。幸田爬上梯子五公尺，將耳朵貼在冰冷的蓋子上，聽見一陣陣低沈的響聲，大概是通過阪神高速公路的車聲吧！除此之外，沒有聽到其他的聲音。

『聽著！桃子，出去之後，儘快和我分開，萬一出了什麼狀況，立刻逃命，好嗎？』幸田說著，就打開工作口的蓋子。

一陣寒風吹在臉上，眼前就是阪神高速公路的高架橋，這是他們預料中的位置。爬出地面之後，他不等桃子，就往高架橋下面走去。這裡有一座他曾經看過，掛著『一小時一百七十元』招牌的停車場，旁邊就是住田的西側。走到地下停車場的角落，找到剛才鑽進去的那個工作口，雖然蓋子還緊閉著，但是旁邊掉了一條白繩。

一定有人躲著。住田停車場的警衛室裡傳出收音機的聲音，幸田拿出那把他最心愛的小刀。走過警衛室門前時，警衛一直盯著他看。

這時候，行道樹那邊突然傳來一陣叫聲：『快逃啊！』是春樹的聲音。從樹影下衝出幾台黑色摩托車，車身清楚地看見寫著『吹田連合』的螢光字，一共有六、七個人，手上都拿著鐵鎚或扁鑽。

連擺架式的時間都沒有，幸田拿著刀子用力揮著，鮮血濺到臉上，聞到一陣濃濃的血腥味。突然看到春樹的額頭，第二次再看到時，他的手中已經多了一把鐵錘。

『住手，住手！』住田的夜警和守衛人員發現情況不對，連忙出來制止。

春樹發動摩托車的引擎，幸田趴在他的背上。

『這次可別鬆手，幸田，絕對不可以放手！』幸田趴在春樹的背上，只能重複『嗯！嗯！』這種聲音他自己聽起來，覺得好像在哭似的，但是，除此以外再也出不了聲音。

『竟然是吹田連合！你們都在做白日夢嗎？』北川大聲怒罵，春樹一再低聲地反覆著相同的話。

『實在沒辦法，那些人就是看我不順眼。』

『看你不順眼，爲什麼連幸田也挨揍了？是不是上一次寺西倉庫火併，幸田曾幫助過你的緣故？』

『大概是吧！』

『是那個索仔嗎？』

『是的。』

春樹小聲地說著，聲音小得幾乎聽不見。相對地，北川卻大聲地罵：『王八蛋！』

幸田躺在北川公寓裡的春樹的床上，身上塗滿消毒水。他一被載到這裡，立刻就用熱毛巾洗過手腳之後，又喝下一瓶鎮定劑。但是，因爲太激動了，以至於兩眼一直睜開著的，全身顫抖不停，過了一會，大概是藥效發揮了，眼皮也慢慢地垂下來。在半夢半醒之間，聽到北川和春樹吵架的聲音，他又恢復意識，這時候才發覺全身疼痛，動彈不得。幸田喃喃的說：『不，他們是被收買的，後台是山岸那夥人，一開始就打我和桃子的主意。』

當天邊出現一抹魚肚白時，他在枕頭上稍微轉動脖子，看見北川正透過蕾絲窗簾往窗外看。

『好一點兒沒？』北川說。

『好多了！』幸田回答。

『幸田，從這個窗口，正好可以看見管理住田金庫那位次長的家……。最近，那一家人好像發生了不少事情，上一個月，大女兒交了一個男朋友而離家出走；次長也很少回家，上一個星期天，還看見搬家公司的車子來搬家。我猜想那對夫妻不久就會離婚了。』

『北川！』

『什麼事？』

『我們之間可能有人是間諜。』

『這件事情……野田也曾經跟我提過。』

『一定有的，至少，一定有人將桃子的事情向外人洩漏，我非常清楚……，拜託你，再找一個房子，拜託你！』

『……桃子又要搬家了？』

『是的，爲了謹慎，拜託……』

『好的，我知道了。我今天就去找，你還要什麼東西呢？』

幸田想要搖搖頭，但是脖子卻動彈不得。北川在一旁輕聲地說：『口渴嗎？』他還是無法轉動脖子。

『北川！』

『什麼事？』

『共同溝進展得還不錯。』

『真的嗎？……那太好了！』

在晨曦中，幸田看見北川的笑容逐漸膨脹，然後他很快地又被睡魔屈服了。

第二天早上，幸田已經可以起身走動了，原來並沒有骨折，只有輕微的皮肉傷而已。他仍然到寺西倉庫上班，不過冷凍庫的工作改由春樹負責，他只能做倉庫內較輕的工作。

下班後，搭巴士到吹田車站，直接走路到北川昨天爲桃子找到的新家。原來這個三層樓建的公寓，正位於『丸吹』豆腐店的巷子內。

按照約定的方法，在二○三號房間門口敲了三聲，停兩秒之後再敲兩聲，門立刻打開，一位年輕女孩子探頭出來。

糟糕，走錯了！不由得低下頭來道歉，仔細再看一眼之後，終於認出這是桃子男扮女裝的，幸田忍不住笑彎了腰。桃子無可奈何的笑了笑，說『從今天起是桃子小姐』。

十一月十六日，星期四，春樹單獨前往東京，回到千葉的老家，花了兩星期的時間，往來於千葉和秋葉原之間。

十七日星期五，住田的金庫次長夫人終於搬出了南千里的別墅，次長本人則照常上班，下班後仍然到宵待草咖啡店，找他的情人。

北川升爲主任，月薪也增加爲六十萬，幸田依然在冷凍庫裡工作。桃子改扮女生後，曾經兩次消失踪影，昨天從旭大的工大實驗室偷出藥品，開始製造炸彈了。

十一月二十日星期一。

下午六點多，北川突然出現在寺西倉庫前，而且沒有開公司的卡車，改搭計程車，身上還穿著一件素色西裝，打著黑色領帶。

『誰的葬禮呢？』幸田問。北川喃喃自語似地回答：『艾美的……』

『艾美？』

『是的，詳細情形以後再說。在靭公園旁的公寓舉行葬禮，由他父親從三重縣趕來主持，參加的除了她的閨房密友，只有老頭、野田和我。』

北川又說：『總之，我去看了究竟，在公寓的四周部署了許多警察，連青銅社也派人在外面巡著呢！』

『野田的情況如何……？』

『非常可憐！……好像有一點事情，我現在要去找他，你也一起去吧！』

於是兩個人就搭著計程車，前往野田的住處。

北川對計程車司機說：『到逆瀨台。』接著又說：『野田在十一月初，結束了交往兩年的一段感情，將位於大淀區的一棟房子賣了，給對方五千萬作爲贍養費，自己搬家到寶塚市逆瀨台來，租了一間公寓。據說女方十二月就要生產，現在已經回娘家了。』

幸田悶不吭聲地聽著，關於野田和女人之間的糾葛，他是一句也沒興趣。

距離上次遇到艾美，只有短短兩個月的時間，沒想到這竟然是他們兩人第一次，也是最後一次的交談。

在逆瀨台下計程車時，北川又說起葬禮的事。『艾美是在十八日星期六去世的，當天晚上，她和野田一起去喝酒，在車站等地下鐵時，突然衝向一輛往天王寺的末班車，她當場死亡。』

女人就在自己的眼前自殺，後來警察傳訊時，野田自己也不知道艾美爲什麼會突然衝出去，而且當時兩個人都已經喝得爛醉。

第二天警察去向老頭察問，老頭也是被問了才知道這件事，問不出結果。警方通知艾美在三重縣上野市的家人，家中只有一位四十來歲的父親，艾美是離家出走，一個人跑到大阪來的。

『野田告訴我，一個星期前好像有人跟踪艾美，其實我也曾發現過，那個傢伙和跟踪野田的完全不同類型。你還記得上次攻擊桃子那兩個人吧！和那個傢伙非常相似，艾美懷疑是什麼暴力團體……』北川說。幸田也認爲那個在桃子公寓旁邊窺伺的禿頭，可能性最高。北方派來收拾桃子的又開始有所行動了……。

野田的公寓在寶塚高爾夫球場旁，面對逆瀨川的一間小巧的房子。雖然也是一廳一房衛廚齊備的套房，但是鋪設最流行的瓷磚，樓下也有大廳，還有設備完善的地下停車場，和幸田住的格調不同。

野田住在四樓，寬廣的起居室裡到處都是髒衣服。

『我什麼也沒有向警察說，二位大可放心！』野田說。

北川沒有答腔，他在野田的腳邊坐了下來。

『公司方面呢？』

『照常上班啊！有什麼不對呢？』

『沒有，這樣最好。』

『好什麼？你們是擔心我不上班之後，就再也沒有出入住田的機會了嗎？』

『是的，現在只有你能光明正大地進出住田，所以電梯的安裝，出入口的確認，都必須靠你的幫忙。』北川的聲音越來越溫柔。

『不要再說了！』野田坐在沙發上，將腿用力踢出去，正好踢到北川的膝蓋，他呻吟似地說：『別說了，你替我設想看看，如果你的女朋友在你的眼前被電車撞死了，你……我……！』

『這一點我們都非常瞭解。』

『既然瞭解，又爲什麼要講那些廢話呢！我每天被警察傳訊，已經夠煩了。全日本大概找不到像我這麼可憐的男人了！你們以爲我和艾美是什麼關係，我們連床都沒有上過呢！因爲艾美說過要和我成爲不牽涉性關係的朋友。我這麼年輕力壯，卻只能和她一起吃蛋糕，一起跳舞，這就是我和艾美的關係，你們給我搞清楚。』

北川一直重複地說着：『艾美實在是個好孩子！』

『好個屁！』野田說：『國島的確是目睹殺人事件現場，第二天也向警方洩漏，又因爲告密而害怕得到處躲。國島的背後是吹田連合在出主意，讓艾美來接近我、套我，這種女人很想乾脆殺掉她！……』

野田凝視著天花板，淚水不停地流下來。幸田將視線移開，北川卻一動也不動，注視著野田說：『你的心情我很瞭解。』

『不要再談艾美的事情了……』

野田抽了一張面紙擤鼻涕，然後繼續說：『你們二位仔細想想，……第一點，警方已聽過國島的話，卻只做些表面調查。

第二點，給國島出主意的人的目的。可能是爲了誘出殺人兇手。

第三點，他們已經知道兇手在我們這裡，所以故意安排艾美和我接近。以上是我的推斷，結論留給你們自己下吧！』

『我整理一下！』北川慢慢地說：『現在已經很清楚地看出索仔這幫吹田連合，一開始就知道這件事情。國島應該不會主動去告訴他們，一定是他們另有管道獲知這個消息。』

『是的，有人出賣消息給他們。』

『索仔那群人是從什麼時候開始對國島採取威脅行動呢？』

『九月底吧！在那場流產的生日舞會之前。』

『換句話說，索仔和他背後的主謀，都在那時候已經知道殺人這件事了。』北川說。

野田突然雙手用力抓住北川的胸口說：『北川，間諜在這時已經知道我們這裡有殺人兇手了，而當時知道這件事情的人並不多，你、幸田、警察、國島，還有艾美，只有這些人而已。』

『可是，這些人都不可能。』北川拉開野田的手說。『或許桃子沒有將國島一起殺了也是天意，否則一定會被我們這裡的間諜逮著。』

沈默了一會兒之後，北川又問：『今晚我們去喝一杯吧！』幸田連忙說：『對不起，我先走了。』然後頭也不回地離開。

他不想將自己的想法告訴這兩個人，他認爲間諜另有其人。有一個人也是很早就得知桃子是殺人兇手了。

自從八月二十五日事件發生以來，公安刑警就開始拿著楚要煥的照片，在土佐堀一帶進行搜查工作，道路清潔人員應該不會放過。爲什麼以前從來沒有想到呢？

桃子躺在角落的被窩裡，房間裡黑漆漆的，所有的燈和電爐都禁止使用，因爲藥品具有爆炸的危險性，他正在製作起爆劑所要使用的超高感度爆炸性化合物。

『桃子，關於老頭的事……你知道嗎？』

『知道！』

『那你爲什麼還悶不吭聲？你爲什麼不逃呢？』

『因爲我無處可逃啊！』

『你是什麼時候發現的呢？』

『十月初左右，我們爲了變電所的偵察工作，而夜宿中之島時……，我曾經數次看見老頭和附近的流浪漢在聊天，後來我又發現其中一位流浪漢很面熟，原來他是北邊的連絡員，後來又當了日本警察，大約二十年前，他又調到刑務所，名叫「末永」，喬裝成流浪漢。』

『末永這個名字，我以前好像聽過……，但是我怎麼沒有注意到呢？』

『你一直坐在錦橋那邊，當然沒有看見了，我是在中之島公園西端的板凳上看到的，他的位置在靠近淀屋橋旁……』

流浪漢……？原來警方也派了人化妝成流浪漢……。

『桃子，你爲什麼一直悶不吭聲呢……？』

『因爲……，幸田，是你們帶我去老頭那裡的，我該相信你們之中的誰？說什麼呢？反正只好讓它去了。』

在黑暗中可以明顯看出桃子唇角露出的笑意。

『而且，我又不知道老頭爲什麼會和末永在一起，以前的我當頭一擊就解決掉，可是已經不幹間諜了，現在只能到處躲了。』

『桃子，我們出去走走吧！』幸田帶著桃子，到吹田車站南口一家小酒館，慶祝又逃過一劫。幸田說：『今天晚上起到我那兒吧！』桃子小聲的笑著說：『謝主隆恩……』

從老頭的信件和電費及瓦斯收費單上，看到老頭的名字叫『岸口順三』；有一次桃子看到他的養老福利金通知書，上面寫著出生年月日是昭和二年三月六日，今年六十二歲。關於老頭的資料，只有這麼一點點，不過，那個末永的表面的資料就比較詳細了。

昭和二十二年京都出生的末永，因為在四十四年的京大鬥爭中擔任重要幹部，遭到退學處分，四十六年就職於府內的電鐵建設公司，該年五月因為襲擊兩名勞工組織幹部，使他們身受重傷而被捕，第二年京都法院判決懲役三年。

昭和五十年三月出獄後，有兩年行踪不明，桃子說他到平壤接受特別教育。至於派遣方式、偷渡管道就不清楚了。

昭和五十二年春天，末永回到東京都荒川區，夏天開始在一家親戚所開設的噴嘴公司上班，五十三年結婚，生了兩個小孩。從那個時候起，末永開始與收破爛的下層工人往來，同時又與在日朝鮮的工商團體交流。除此之外，他還有一個面目，就是日本警察的走狗。

五年前，桃子在漢城和在日韓國人『宗隆生』交換出現在日本時，曾經和末永有過數次接觸，兩年前，桃子已經發現日本的公安局對末永的身分開始懷疑。末永那邊的人也察覺到桃子不是個好惹的角色，很想將他殺滅，於是，桃子就成爲南邊、北邊和日本公安局三者夾殺的對象。

最後，桃子又說：『目前想要抓我的人一共來自三方面，一個是末永，一個是青銅社，一個是老頭；關於末永和青銅社已經有所瞭解，可是對老頭卻仍是一張白紙。』

十一月二十一日，星期二，早上正在冷凍庫裏工作時，北川突然進來，遞給他一個粉紅色信封，然後默默地關上大門。

信封上署名『北川浩二』，郵戳蓋的是東京都豐島區，裏面有一張以文書處理機打出來的便條紙，上面只有一行字。

『春樹暫時代管，請速連絡。山岸』

北川身上只穿着一件有運送公司標識的薄夾克，在零下三十度的冷凍庫裏，凍得毛髮直立，一句話也說不出來。

『北川，今晚就去東京吧！我和你一起去！』

幸田說着連忙把北川帶出來，可沒時間感冒了。

當天下午六點，北川先搭近鐵到名古屋，八點再從名古屋換新幹線到東京。幸田則從京都搭晚上十一點的高速巴士，第二天早上七點多就到東京了。

北川抵達東京之後，先打電話回船橋老家，從父親口中得知春樹買了許多材料，卻安然無恙的放在他自己的房裏。可是已經兩天沒回家了。樂天派的父親正想報警，北川說：『很快就會回來的。』

幸田與北川簡短地會合之後，就擠進顛峰狀態的JR山手線。

從代代木的東口，和一群學生一起走出地下道，往甲州方向走兩百公尺，就看到了一棟五層樓建築的明治升學補習班。混到那前面已經是早上八點四十分了。

幸田靠在玄關旁的柱子上，打開一本文庫本，這是昨天晚上在巴士中撿到的，書名是『李白百選』，他當然一個字也看不進去。

幸田在等一個名叫『高木』的男人，兩年前開始在明治補習班擔任數學講師，他是晚幸田一屆的學弟，六年前在校內集會認識的，也曾是青銅社的一員。身材壯碩，一副運動家模樣的高木，實在沒有理由加入青銅社，但是對青銅社而言，他是不可多得的人才，既然加入了，絕對不會輕易放人。

八點五十分，在人潮中看見身穿素色西裝的高木，幸田立刻合上書，快步和高木並肩一起走，高木雙眼左右移動，發現原來是幸田，想要走開已經來不及了。幸田抵住他的背，高木只好順服了。

在玄關前，有位檢查學生證的職員，幸田拿出自己的阪急巴士車票矇騙過去了。

幸田用力抵住高木的脖子，把高木帶到地下一樓，這裏是當作電腦室和機械室使用的倉庫。

『喂！幸田……』高木先開口。

幸田用刀子從背後抵住他的脖子，要他面向牆壁。

『高木，你老實回答，山岸人到底在那裏？』

『幸田先生……，別開玩笑了，電腦室的門快開了，很快就會有人來了。』

『我問你山岸在那裏？』

『他沒有固定居所，和一群人四處打游擊，這一點你應該比我清楚，若不想惹麻煩，最好離遠一點。拜託你……』

『我只要知道他的連絡處，是他在找我。到什麼地方可以見到山岸？快回答我！』

高木是很單純的，雖然身材魁梧，但是膽子卻太小了。

『吉祥寺東町一丁目的「鯰」，就是電影院斜對面那一間……』高木說。

『幾點開始營業？』

『六點！』

幸田放開高木。這時候才仔細看了高木一眼，和以前一樣，是一張小心謹慎的臉。

高木又補充了一句：『幸田先生……，不可以告訴任何人哦！』

幸田回答：『嗯！』爬上一樓，混在學生群中走出玄關，時間是九點五分。

『鯰』位於吉祥寺鬧區外圍，如果不是斜對面電影院的招牌太醒目，這麼小的店面的確不容易找。正門没有看板，也没有窗户，只看到一扇門。已經下午六點了，門上還掛着『CLOSED』。

幸田坐在對面電影院門口的自動販賣機前，手中拿着喝了一半的冰啤酒，十幾年前這一間因爲在歡樂街周邊而有名，現在已没落了。

北川所借來的深藍色轎車，停在『鯰』東側十公尺的路旁，北川則躲在附近的巷子裏。

下午六點半，一位蓄着長髮的男人打開了店門，門上一盞小燈也打開了。過了半個小時，一對學生模樣的情侶上門了，這是他們唯一的顧客。

氣温逐漸下降，北川說今晚可能會下雪，但是幸田卻一點兒也不覺得冷，更不覺得餓，而且壓根兒忘了春樹，也忘了大阪的計畫。他只想着眼前這間小店裏，可能躲藏着山岸，青銅社，還有公安人員。

八點鐘，從巷子一端走來一個男人，距離五十公尺左右，很清楚地看到他戴着一副塑膠邊眼鏡，身穿深藍色夾克、牛仔褲及球鞋，手上又提着一個西武百貨的袋子，這個人就是山岸……。

幸田等了一分鐘，讓對方再往前走到距『鯰』六、七公尺之處，幸田離開自動販賣機。隨着他的身體移動，山岸的視線也開始移動。

幸田衝到馬路上，山岸急忙想往巷子裏逃，這時候北川適時出現，一拳打得他手中的袋子立刻落地。北川將對方的手押在背後，說：『山岸先生，謝謝你的信！』

將山岸押進車內，車子從田無往武藏方面緩緩駛去，北川確定沒有跟踪的車子之後，才加快速度。

山岸非常沈穩，他只是笑笑說：『你們來得真快啊！』

『我問你！』幸田簡潔有力地說：『楚要煥是不是末永要你們找的？你只能回答是或不

是。』

『我姑且回答是。』

『末永有沒有具體的指示？』

『幸田，末永想將我們完全擊敗！已經知道楚要煥早被公安人員包圍，卻要我們干涉。總之，末永想清算我們和北邊的管道，對社會擺個姿態，對日本國民做個交代。』

『你們是怎麼掌握到公安人員的行動的？』

『幸田，少開玩笑了！楚本人不是早就成爲公安的走狗了？否則他爲什麼和那個「岸口」住在一起？岸口本來是勞動團體的幹部，後來又被迫轉爲公安人員的。』

幸田安靜地聽着，山岸這幫人相信末永是北邊的人，但是，不管他是北邊，是南邊，甚至偏左偏右都無所謂，總之可以確定他參與這項綁架陰謀。

『山岸，你們又是什麼？綁架不相干的人，找楚到底爲什麼目的呢？』

『當然不是我們的目的，真正要找他的是人民共和國。我們要以更直接的方式將他送到北邊。』

『要找到他，而且真正抓到他並不簡單，如果換算成現金，價值多少呢？』

『多少錢？你是什麼意思……？』

『一億？或是兩億呢？換句話說，如果我們以相同的金額，是不是可以換回春樹呢？假使是兩億圓的話，幾乎等於青銅社每年的開銷了？』

『你瘋了嗎？』山岸氣得想要從座位上站起來，塑膠鏡框的眼鏡中，透出一股想要打人的衝動。

『北川春樹的贖金兩億圓，但是付款時間必須在一個月以後，付款方法以後再決定。如果我們付不出這筆錢，就拿楚來交換。』

山岸沈默了兩三分鐘，說：『兩億圓要怎麼來？你以爲我們綁架的是馬可仕嗎？』

『土地一坪值三千萬的時代。』

『我和夥伴們商量看看。』

『不，你現場作決定，事後隨你怎麼告訴他們。』

『不管你錢怎麼來的，不愧是幸田……』

山岸嘴角微微掀起地竊笑着，幸田不再開口說話了。

北川在神代植公園旁的電話亭停車，山岸打電話給黨羽，商量交換人質的方法。爲了不讓公安人員、末永和其他團體發現，山岸和春樹的交換在秘密中進行。

掛了電話之後，北川依照計畫將車子開往中央高速公路的調布交流道，時間是晚上九點十五分，下一個目的地是長野。

十一月二十三日，星期四，上午十一點，北川的車子停在長野車站前的停車場，北川則坐在對面善光寺旁土產店二樓的咖啡店內。因爲座位靠近窗邊，窗外的風景一覽無遺。

幸田和山岸坐在距離停車場四十公尺的南出口候車室，山岸穿着幸田的墨綠色夾克，帶着墨鏡；幸田則穿着山岸的藍夾克，頭上戴着滑雪帽，又戴上了山岸塑膠邊的眼鏡。兩人的身材非常近似，又換上了衣服，百分之九十會認錯人，如果從遠處看的話，百分之百會認錯。

十一點半，山岸又打了一次電話，確定春樹依照約定，已經在上午九點三十分，搭上了從上野出發的『白山**1**號』。青銅社應該會有兩個人和他一起來。

『在上野看守的人好像也跟踪來了。』山岸說：『跟踪的人馬分爲兩組，其中一組是兩名公安刑警，另外一組則身分不明，大概都搭同一班火車。』

這是事前早就料到的，否則他們也不須做了這麼仔細的人質交換計畫。

十一點四十五分，幸田和山岸離開候車室，到售票機前各自買了一張車票，然後分別走進月台。

十一點五十八分，第二月台有一班普通車進站，十二點零一分就發動了。

到了十二點九分，幾位等着『白山1號』的旅客紛紛整理行李，幸田也將攤開着的報紙摺起來，離開板凳，爬上左手邊中央跨線橋的階梯。因爲帶着山岸的眼鏡，整個世界都變小了。

因爲山岸吩咐他們進站前，讓春樹移到七號車廂，所以他們儘可能站在七號車廂附近。

十二點十四分，擴音器傳出：『前往金澤的「白山1號」在預定的時間準時進站，停車時間是一分鐘，請各位乘客把握時間。』

幸田回頭看看站在四號月台出口上的山岸一眼。

與青銅社那票人約定好，看見春樹安全地走出月台之後，才能讓山岸上車。但是，車上還有公安人員和敵對團體，怎麼辦呢？

爲了擔心山岸被公安人員抓去後，會洩漏秘密，所以一定要讓他安全地離開。幸田於是假扮成山岸，而真正的山岸是搭兩分鐘之後駛離車站的『朝間2號』。

一陣鐵軌震動的響聲之後，十二點十五分，火車進站了。車子停穩之後，從第七號車廂走下來數十位乘客，在這小堆人中，很明顯地看見一個頭上戴着彩色滑雪帽，身高約一百七十五公分的男孩，長相看不清楚，但是從身高看來，應該是春樹。

幸田看看北川，又回頭看了山岸一眼，然後轉身朝樓梯口走去。突然間，聽見北川在背後大叫：『不要太勉強！』

到底發生了什麼事，在這個緊要關頭，怎麼可以叫得這麼大聲呢？但是他已經沒有時間回頭了。

『馬上要開車了，往金澤的「白山1號」馬上要開車了。』

幸田跑下一號月台，從最近的一扇門跳上火車，哨聲響起，透過緊閉的玻璃門，看到人潮往中央出口湧去，也看到春樹的滑雪帽正要通過剪票口。

幸田從五號車廂的後門跳上來之後，就一直靠車門旁站着，到下一次停車的黑姬站，需要二十八分鐘，他打算儘早跳出車外。

火車離開長野十分鐘之後，一位年輕男子從走道上走過，他看見在門旁看着報紙的幸田之後，就迅速消失在隔壁的車廂，直覺地可以知道他在找山岸。五分鐘後，同一個男人帶着他的夥伴一起回來，這一次他們站在相反方向的門口，一動也不動。

幸田毫不游移地將報紙摺疊起來，走到六號車，又走到七號車，最後走到連結部。那兩個男人並沒有跟上來。現在離黑姬還有十三分鐘，如果提防自己會下車，在停車前應該會追來。幸田身體緊靠在右側車門。十二點三十四分，速度顯著地減慢。

幸田看着車門上的把手，估量着如果用力的話，能否將車門打開，結果，他用力一拉，可以拉開三十公分左右，大約十秒鐘，門又會自動關起來。

三十公分的寬度，不可能將姿勢蹲低，他只好直直地站立着，從正在行進中的火車上跳下來。

突然間，有一種與行進方向逆向飛起的感覺，跌落到地面上時，眼冒金星，感到一陣陣的暈眩。原來他跌到數公尺懸崖下的草叢裏，一陣漸行遠去的火車聲慢慢地消失了，取而代之的是山谷間的水聲。

十一月二十四日，星期五，上午七點。

沿著土佐堀河，老頭的身影緩緩地移動，和夏天結束前看到的背影相同。

幸田從錦橋的花壇上站起身來，走到通道上，老頭正在打掃河邊的花圃。老頭抬起頭來，看到幸田，很快又低下頭去，揮動著掃帚。

『有事嗎？』老頭說。

『你爲什麼要出賣桃子？』

『我只是看了刑警拿的照片，承認認識他而已。』

『這是什麼時候發生的？』

『八月底吧！那時候我還不認識你們，九月你們帶他來時，我也沒有立刻想起來……』

『那麼，你曾經與末永見面吧？你們談了些什麼？』

『他在找桃子是事實，而且他問了很多事，但是我什麼也沒有說，因爲多說只會增加你們的進行上的負擔，更何況我對這件事情也沒有興趣……』

『沒有興趣，但是有責任。』

『……或許是吧！多年以前，勸末永轉向的就是我呀。』

老頭停下手中的掃帚，河面上一大群麻雀嘈雜地叫著，從樹叢中，又飛出成群的烏鴉。『坐一下吧！』老頭說。

老頭在河岸的水泥矮牆上坐了下來，眼前就是住田的北側大門。幸田靠在水泥岸邊。

『我很早就一直想問你了……』老頭開口說，聲音沈穩而有力。『幸田先生，你還記得吹田市出口町的教會裏那位神父嗎？』

『記得。』

『真的嗎……？這是昭和四十一年二月的事情了，那位神父曾經來找過我，說要找一個女的。

『他之所以會來找我，因爲我是她的前夫，後來離婚了，他帶著我們的孩子搬家了。我問他「有什麼事嗎？」。』

『神父告訴我，很想見她，我笑了笑趕走了他。雖然分手了卻忍不下來。但是，如今想想，他的確是個高貴又純情的人。美也子喜歡他也不是沒道理。』

『不過，幸田，我從第一眼見到你，就覺得你和那個男孩子很像……』

『……我很慶幸不是你的兒子。』

『美也子大概也會這麼說吧！她後來怎麼了呢？』

『當然又嫁給別的男人了，生了一個女兒，現在應該住在橫濱。我在七歲時被荻窪的舅舅領養了。』

『啊！是那個醫生嗎？……我後來聽說那間教堂失火了，有人說是神父縱火的。我對一位我認識的刑警告密，說是我親眼看見那神父縱火的……。

『因爲神父後來也行踪不明，所以警方也無法逮捕他。』

『最好永遠捉不到。』

『我也認爲捉不到比較好……。該被判刑的是我。』

『那天會丟了現有的，被吊而死，然後埋在「血田」裏，聖經裏是這麼寫的。』

老頭沒有再回答，只是一直盯著幸田看。

幸田仰望著天空，生怕頭一低下來，眼角的淚水會像山洪爆發一樣地湧出。二十九年來的憎惡，如今早已消失得無影無踪了。神父的事也無所謂了。有一份難以割捨的感情正在茁壯，這是眼前這個不懂得愛的男人所不瞭解的。

『老頭，最後還要跟你說的是，你出賣我們是不爭的事實，萬一桃子出事了，都是你的責任，不要忘記了！』

幸田愛睏極了，好像兩天來的疲勞，都在這場睡眠上平復。好不容易睡醒，正好是深夜。桃子笑笑說：『你已經睡了十五個小時。』

他在睡覺時，北川來過一次，桌上放著一瓶他送來的葡萄酒，還有一張卡片，上面寫：『就當作是小生的血。感激不盡！』

『這個人實在很重感情！』桃子說。幸田聽了笑笑說：『什麼時候了，還這麼浪漫！』

兩個人把這瓶酒解決掉之後，幸田帶著桃子出去散步。爬上坡道，站在片山町高台上的草叢中，眼底一片低矮的平房，而且清楚地看見教堂聳立的尖塔，二十年來看到的景象完全相同。

幸田至今仍然清楚地記得教堂內部的裝潢。從來沒有做過禮拜或參加過集會，但偷偷溜進去過。

幸田對桃子述說著有關教堂的記憶之後，接著又說：『昭和四十年十二月，當時我只有五歲，只記得那天晚上媽媽一直在客廳哭，客廳好像來了一位媽媽的親戚，那些男人一直對媽媽大聲吼叫，所以我很害怕，一個人跑了出去，結果連鞋子都沒有穿。

『我劃了一根火柴，將祭壇上的蠟燭點亮，但是一伸手，就把燭台推倒了，火苗迅速地蔓延。我大吃一驚，立刻跑回家。

『一走進家門，就聽到附近傳來一陣警笛聲、附近的尖叫聲。』幸田一開始就認爲火是他放的。但這是他第一次承認。

『幸田，你要不要去那邊看一看呢？』桃子指著尖塔說。幸田搖搖頭，過去的已經過去了，那段記憶離我太遙遠了。

『改天再去吧！』

桃子靜靜的重複著：『改天再去吧……』

十一月二十五日，星期六，下午春樹到倉庫來找，春樹頭髮染回原來的顏色，也剪短了，兩個人蹲在倉庫的角落裏，春樹對他詳述著被青銅社抓去那兩天的經過情形。

十一月二十六日，星期日，和北川約好了準備實行計畫。下午兩點多，他在南千里車站下了車，看見提著超級市場購物袋的北川太太和祐一，於是邀請他們到甜甜圈店裏，小孩點了果汁和甜甜圈，太太則喝咖啡。

深秋的太陽從窗口照進來，正好照在他們的座位上。

北川的太太臉上掛著甜甜的笑容。

『我們家即將多一個人……』她輕撫著小腹說。過了好一陣子，幸田才會過意來，原來她講的是孩子。

北川的妻子接著說：『幸田先生，你結婚了沒有？』幸田聽了之後，覺得太陽穴逐漸膨脹，腦中央一陣陣的抽痛，使他不知該如何回答。

祐一的果汁喝完之後，兩個人就先離去，祐一對著玻璃窗，大聲地說：『望遠鏡叔叔，再見！』

太太牽著祐一正慢慢越過馬路時，前面來了一輛白色轎車猛然左轉，沒聽到踩煞車的聲音，祐一小小的身軀像一只白皮球般被彈出去。幸田急忙站了起來，看到北川從對面衝過來。

十一月二十七日，星期一，深夜接到北川打來的電話。

『明天的葬禮，你不必來參加，警方已做嚴密的部署。』

他只說了這句話，就把電話掛斷了。不過，第二天野田參加了千里會館舉行的葬禮之後，向他報告說：『北川那傢伙還滿堅強的……』

當天前來弔唁的親友一直到很晚還在北川的家中進進出出，等所有的人都回去之後，北川到千代崎太太的娘家打聲招呼，晚上十一點打電話給幸田，大概也是從千代崎打來的。

北川和幸田約好在木津川橋見面，北川顯得非常激動，一副坐立不安的模樣，但是一句話也沒說。

兩個人沈默了好一陣子之後，北川才開口說：『從車子的玻璃窗清楚的看到索仔的臉。』但是聰明的索仔一定不會在現場留下任何證據，即使警方立刻搜索做案後丟棄的車子，他也會做好周全的不在場證明，難怪北川會說這是一場完美的謀殺。

北川只說：『很快就會報復。』

『現在最重要的是春樹想回千葉去。他認爲這件事是他引起的，怎麼說也聽不進去。』

『春樹現在人在那裏呢？』

『在車庫裏。』

北川太太的娘家有一間石綿瓦搭建的車庫，一共有四個大車位，但是只停放了兩輛車子，其餘空下來的位置都用來當儲藏室，一個多月前運來的四箱火藥，也一起放在裏面。

春樹的山葉機車放置在鐵門前，北川打起鐵門，叫了一聲：『春樹！』但是沒有聽見回答聲，他打開電燈又叫了一次。放眼望去，倉庫裏沒有半個人影。

『幸田，走吧！』北川大聲嘶吼似地叫著衝了出去。

北川發動他的車子，除了引擎聲之外，什麼也沒說。北川從昨天開始一直密切地注意春樹的行動。春樹會趁他不注意時逃走的地方，只有一個。春樹可能是跑到北堀江旁叫計程車，或者在這裏偷了一輛摩托車，他的目的地是新御堂筋。

在江坂和綠地公園之間，沿著北向的車線，有一家吹田連合經常聚集的二十四小時營業咖啡店。馬路的兩旁是寬三公尺的人行道。晚上過了八點，在這裏散步的人群逐漸增多，到了深夜，四輪車也加入這個行列。新御堂津閃爍的霓虹燈和摩托車不時疾駛而過所發出轟的響聲，使人精神大振。幸田曾經在這裏見過幾次索仔。他們的活動是一點以後，還有半個鐘頭。

北川雙手握緊方向盤，猛踩油門，從千代崎到新御堂筋的十三入口，花不到十分鐘，從那裏再到江坂也花不到十分鐘，兩個人還是沒有開口。沿途不斷地聽到警車的警笛聲，緊接著有兩輛救護車從左側超車而過，北川用力地喘息著，好像刻意地壓抑預感。

車子通過名神高速公路的高架橋下，就是一段長約三百公尺的緩坡。突然間前面的車輛速度都減緩了，原來是兩百公尺前方的坡路上停了數輛警車和救緩護車。北川立刻停下車來，下車往前跑去。

警車有四輛，救護車有兩輛，車頂的紅燈不停地轉著，人行道上擠了數十個人，路旁倒著數輛摩托車，安全帽都滾到馬路中央去了。還有一輛白色轎車撞上了電線桿，連前面的車窗都破成碎片，駕駛座的門掉了，車子裏面沒有半個人影。

醫護人員抬的擔架上，有一具用橘色毛毯包裹著的屍體，北川見狀立刻衝出去，結果和警察扭打在一起。

『不許動！』警察對他大吼。

北川仍然繼續掙扎。

『車子上的人呢？車子上的人在哪裏？車子上的人呢……』

另一位警察問：『你是誰？是家屬嗎？』

從救護車的車窗，可以看見一台擔架，雖然毛毯已經掀開，但是滿臉的血跡，分不清到底是不是春樹。北川用力敲著車窗，使整輛救護車都晃動起來。

一位醫護人員拍拍他的肩膀說：『是家屬嗎？一起到醫院去吧！雖然還活著，但是傷勢非常重。』

春樹和北川搭乘的救護車，響起警笛，開走了；接著又有一輛載著屍體的救護車。幸田離開人牆，回到北川的車子裏。

三天內看見兩具屍體，但是他卻一副事不關己的模樣，臉上沒有絲毫悲傷的神情。再也看不見北川太太的笑容，再也摸不到春樹的手，這兩個人彷彿都是夢中的人物，夢醒了之後，又一個希望消失了，只留下做夢的人孤獨地走完他的一生。

野田在月曆上十二月十六日星期六，畫一個紅圈圈，這是今年最後一次住田總公司的電腦定期檢查日，北川早已將襲擊住田的基本步驟牢記在心了，十六號是野田到住田檢查電腦，在電器系統上動手腳的最後機會。

北川拿起紅筆，在今天的日期十二月一日上畫一個圓圈，還剩十五天，這一陣子會越來越忙。

首先要處理的是住田國際部次長户田雄一郎和他分居的妻子户田惠美子，以及堂島的女老闆江崎佳代三個人之間的三角關係。

這件外遇事件如今已從『家醜』，變成『鬥爭』了。在户田的妻子那一邊，每天都有律師進出，甚至連徵信社也參一腳了；堂島那個女人，除了僱用律師以外，還在店內安置了數位身材魁梧的男保鑣。造成兩個女人的攻勢越來越兇猛的次長本人，幾乎不敢在咖啡店駐足。對北川而言，這正是天大的好機會。

雖然個人遭遇到極大的不幸，但是北川卻更加地冷靜，將全副精神移轉到計畫上。計畫的目的只有一項，那就是在襲擊時，將看守金庫的户田次長從六樓的執務室誘往地下停車場。

十二月二日，下午六點，北川和幸田戴著墨鏡，身穿皮夾克，出現在堂島一丁目的巷子裏，這條巷子裏到處都是酒吧、俱樂部、餐廳，霓虹燈閃爍不停。『宵待草』位於協和銀行旁，所以它的顧客大多來自附近的上班族。

在巷子裏閒逛了一個小時左右，六點五十分，北川打了一個暗號，說：『就是那個傢伙。』一位身穿風衣的四十歲男人，從『宵待草』走出，這個男人也曾經在次長夫人家中出入。『徵信社的職員，讓人一眼就覺得冷漠是先決條件。』北川接著又說：『上吧！』說著就往前走。

只花了五秒鐘的時間，北川就趕過那個正朝御堂筋走去的男人。北川搶先一步，擋在他的前面。『喂！大哥！』北川用關西口音說：『別在這裏閒逛！』

然後，冷不防地一把抓住他胸前的衣領，大聲地說：『你聽到了嗎？聽到的話，趕快離開這裏！』

第二天，星期日，上午十一點，北川和幸田前往位於寶塚市南口二丁目的一棟小公寓，這一次北川身穿英國製西裝，手提高級皮革公事包。户田部長的夫人户田惠美子住在四樓，北川按了電鈴之後，遞上名片說：『這是我的名片。』名片上面寫著『一切民事商談、長谷川律師事務所律師長谷川友則』

律師的名字是抄自電話簿上的，電話號碼則是借用老頭公寓的電話。

昨天，北川扮演『宵待草』的女人所僱用的保鑣，威脅徵信社的偵探；今天則扮演那個女人僱用的律師，主動來找户田惠美子談判。

因爲户田惠美子被強迫接受和談的安排，只好答應在十二月十六日星期六下午，約齊户田部長和『宵待草』的女老闆，一起來談判。

幸田在屋外等了一個多小時，看見北川出來時，對他扮了一個鬼臉，打出勝利的手勢。

『她說自己要去把老公約出來，搞不懂她究竟在算計什麼，不過可以看出這個老太婆很上道。明天我再和她連絡一次，決定時間和地點。』

『你實在可以改行去當職業騙徒了！』聽幸田這麼一說，北川立刻恢復正經的表情說：『這是因爲已經是這種處境了，否則怎麼可能呢？』

『恢復單身生活覺得很清爽，真不可思議。』

接著北川招了一輛計程車，因爲他打算到新千里醫院的集中治療室探望春樹，據說春樹在兩天前才恢復意識，血壓也比較穩定了，要完全治癒還得花三個月。病情好轉之後，還得留在警察局裏接受偵訊。

桃子最近完全改變造形，出門都採女孩子打扮，簡直像一個京都美女。而且，他比以前更常笑，笑起來好看極了。桃子的起爆劑已經接近完工階段，他利用北川從千葉寄來的材料，所以一切的零件都不用他操心。現在桃子幾乎一整天都坐在桌子前趕工，幸田下班後，就立刻趕過來幫忙，有時候野田也會過來看看。

十二月三日，星期一，野田將一輛白色雅哥汽車開進車庫裏，雖然野田說：『碰巧撿到這輛。』但是，大家都知道選擇白色雅哥是有原因的。

野田的電腦公司所使用的公務車就是白色雅哥，野田經常將車身上有著電腦維修公司名稱的雅哥汽車開進住田的停車場。但是，十二月十六日那一天，當然無法使用公務車，所以非得找一輛雅哥汽車。而且這輛假公務車必須裝載著襲擊所必要的工具，在住田的地下停車場停放數個小時。

但是北川看到車子後卻驚訝地說：『這種車子怎麼開得出去呀！』車頭有明顯的刮傷，車門也完全凹陷進去了，這輛車子實在糟糕透了。『我看非得好好修理不可！』於是從那一天開始，兩個人就埋頭修理汽車。

兩天以後的晚上，幸田再到車庫看看究竟，只看見野田整個人鑽進車子的行李箱內，只看到野田的一雙腳。北川則手拿鐵鎚，正在將凹陷的車門敲平。『喂，北川！你能不能小力一點兒！』野田的聲音從行李箱中傳出。『我把它當成你的頭呢！』北川說著，鐵鎚仍然咚咚地敲。

車庫的角落裏還有一個人，那就是老頭，他的身旁依舊放著一瓶喝了半瓶的伏特加，這幾天他一直在教導野田有關電梯的基本構造、各部分的驅動方式和控制系統。

老頭的圖畫得很好，解說也很淺顯，所以連外行人也一聽就懂了。不過，他仍然不放心讓野田自己去做。

『喂！幸田，我看我還是去現場指導比較好吧！』老頭說，這回他可沒有醉，眼底還閃爍著熱切的光芒。

『事實上，如果我到現場，一定能很快就把該注意的地方做好；如果是野田的話，他對原理雖然已經瞭解，但是臨場還是什麼也做不好。』

『我不想和你一起工作。』幸田回答。可是老頭卻一副沒有聽見的模樣，他繼續說：『我可以先爬上機械室，切斷所有電路，如此一來，不管任何人在那一樓按下呼叫鈕，電梯都不會上來。然後留下一台電梯在地下三樓，其餘的調速機都將它破壞。我考慮了很久，最後還是認為我上去最恰當……』

『我們為了及時逃命可能分身乏術，沒有時間照顧上機械室搞這些的你。』

『如果要做的話，我當然會事先安排，屋頂上有擦窗户用的吊車，而且機械室和七樓的會議室都有逃生用繩索，這一點不用擔心。』

『北川的意見如何？』

『就算是你為出賣桃子，做一點小小的補償！』

老頭的臉上閃過一抹笑容，幸田直覺地討厭他。

十二月七日，星期五。假公務車外殼已經漆上電腦維修公司的標識。

十二月八日，幸田辭去了工作十個月的寺西倉庫職務，雖然正是業務繁忙期，不過他一個月以前已表明辭職的意願，要回東京一家朋友開的公司幫忙，這個理由非常適當。

八日和九日因爲工作到九州一趟的北川，回來時順路去福岡買了各式各樣的繩索，到廣島、岡山、神户買了十個旅行用的皮箱。

最麻煩的大概是電梯維修公司的制服吧！電梯維修公司的職員所穿的制服是藍色的底，胸口有一個綠白相間非常鮮豔的標識，這是進入住田停車場的通行證。工作服在難波的道具店都可以買得到，問題是那個標識，必須自己縫。結果這項縫製的工作又落在桃子身上。北川把桃子叫到自己的公寓，讓他坐在太太的電動縫紉機前，依照老頭所畫的標識，縫在藍色工作服的胸口。桃子首先詳讀機器説明書，然後試着在不用的碎布上縫縫看，花了一整天的時間，好不容易才完成這項工作。

十二月九日，星期六，幸田到大阪府廳的護照課，排了一個多小時的隊伍才領到護照。北川和野田的護照都尚未過期，所以他們不必重新領照，然後到各銀行換取現金，每一個人各借給桃子一百萬，桃子獲得三百萬的條件是必須交出一位住在舞鶴經營民眾宿舍的韓國人的真實姓名和詳細住址。桃子說這個人有一艘漁船，在釜山的人面很熟，金塊可以經由釜山運往香港。

十二月十一日晚上，幸田和桃子又當起流浪漢了。晚上八點多，他們分別從昭和町的公寓出發，從吹田車站前搭巴士往江坂，然後換地下鐵往九條。桃子先在淀屋橋下車，手上拿着一個紙袋子，步行到千代崎，從車庫裏取出三十八顆火藥，用防水布包好，裝入紙袋中。有一部分的火藥已經被野田拿去放進共同溝裏，一部分則藏在假公務車的車底。

從北堀江搭地下鐵回到肥後橋，再走到中之島公園，已經十一點了。和夏天不同，公園裏的流浪漢一個個都用紙箱子和報紙鋪成床和被。幸田也將報紙鋪在板凳上，桃子則撿了一些破布蓋在身上。不過他們兩個人的背上和胸前各放了一個懷爐，即使在十二月的寒風中，也絲毫不覺得冷。

凌晨四點多，他們起床後，在中之島公園閒逛。從田蓑橋角的停車場旁的巷子，走進關西建築管理股份有限公司的後院，打開地上的工作孔，將三只紙袋從梯子的把手吊進去，然後又各自回到土佐堀。

距離黎明還很遠，黑暗的天空看起來比夏天更透明澄靜。既不累也不想睡，神經和肌肉意外的冷靜，和過去曾經面臨大事的經驗不一樣。

走出了土佐堀川，桃子笑笑說：『距十六日還有四天，可是已經沒有什麼事好做了。』

『我也這麼覺得。』幸田回答。突然又覺得有好多事要做，接着又說：『到我住的地方去吧！』桃子輕輕點點頭。

十二月十四日，北川和野田在金岡町附近又弄到一輛四噸的卡車，萬一在地下停車場無法找到退路時，只好從屋頂將人和物品吊下去，所以一定得在外面先準備一輛卡車。卡車很快地開進千代崎停車場，換上車牌號碼，車身又漆上了『大阪市指定業者・北野組』的字樣，然後放進四天前租來的大正區市營停車場。載貨台上又安裝了一盞夜間道路施工的燈號標識。

晚上十點多，接到結束工作的北川打來的電話，他說：『想和你談十分鐘。』最後又叮嚀了一句：『注意一下，有沒有人跟踪。』

幸田走到吹田車站，在已經歇業的小鋼珠店的巷子裏和北川碰面。北川一見面就說：『我有一件事情要告訴你。』

『今天野田白天到老頭住的地方，觀察他的動靜，發現有人來找他，這個人一定是末永。到了這個地步，他仍然和外人往來，我已經無話可說了，到底要不要和他斷絕關係，全看現在了。我想聽聽你的意見。』

『這件事情是衝着桃子來的……住田大概沒問題吧！』

『但是……』

『現在的問題是要十億金塊，或是要桃子，桃子的工作已經完成了，即使少了他，我們仍然可以依計畫進行。但是少了老頭，電梯没有人負責，一切就免談了。』

『你的看法確實如此嗎？』

『是的，如果桃子有什麼問題，事後再找老頭算帳。他敢動桃子一根寒毛，我絕不輕易饒他。我也活不成……』

『那就照計畫進行了……』

北川盯着幸田，幸田連忙將視線移開。走到巷子口，在自動販賣機買了兩罐啤酒，一罐交給北川。握着啤酒罐的手已經冰凍僵了，而腦海中依舊茫茫然。桃子今天的危險和過去完全相同，而且今天更嚴重。

十二月十五日，星期五，晴天。

一連三天都喝得爛醉，早上睡到很晚才起床，一醒過來，就覺得肚子餓極了。找不到吃的東西，幸田只好丟下桃子，自己跑到車站前買東西。買了一盒壽司和牛奶，慢慢地爬過片山町的坡道回家。正午的鐘聲響起，更讓人覺得天空正中央的太陽亮得令人頭暈目眩。走過高台上的草叢時，瞥見了出口町教堂上的尖塔，幸田想起桃子說過：『改天再去那間教堂。』

回到公寓裡，桃子緊閉著窗簾，一見到幸田就說：『電話線被切斷了。』然後從床下的藍色皮箱裡，取出一把長槍，檢查彈匣中的子彈。

『幸田，原諒我，沒時間逃出去，暫時躲到壁櫥裡，拜託……』

幸田看著眼前長髮、臉色蒼白，假扮女生的桃子，連眼神都和早上看到的不一樣。這是來自遙遠國度一位職業殺手才有的眼神。

『別傻了！』幸田說。『我們現在就出去。剛才我回來時，外面一個人也沒有。』

桃子搖搖頭，露出悲戚的笑容說：『幸田，這種場面我見多了，你最好乖乖地聽我的，拜託……』

幸田並沒有受到桃子的嚇阻，他還在猶豫著要不要搶下桃子手中的槍時，突然門鈴聲響起，桃子一把將幸田拉到門邊。

門鈴繼續響著，桃子用自己的背將幸田抵在門的一角，手握著槍把，槍口直向門口。桃子的長髮拂在自己的臉上，有一絲潤絲精的香味。剛才出去買東西時他洗了頭吧！

門鈴聲停了，不知道人還在不在門口，沒有聽到離開的腳步聲。

但是，門鎖響起一陣金屬物撞擊的響聲，背後的門板猛烈地震動著，轉瞬間，門上破了一個大洞。

『幸田，趴下！』桃子一邊叫，一邊將幸田從門邊拉開。幸田衝進廚房。身體向前傾，同時從桃子的背後看見門被打開了。屋外明亮晃眼的太陽光，在眼角晃動著。

下一個瞬間，聽見鐵錘到處敲打的聲音，身子被彈到後面，廚房的桌子被敲得稀爛。

幸田覺得視線裡的影像都變得傾斜了，就像剛才見到的太陽光，不停地晃動。其中包括桃子也在動，而且他的雙手緊握著手槍。隨著一聲尖銳的槍聲，門口有一個黑影倒下，桃子跑了過去，將那個男人拖出門口，然後把門關上。看到這裡，全世界的顏色突然全部消失了，連在他身旁的桃子所穿的藍色毛線衣也變成白色，又變成黑色；桃子在他耳邊輕喚著：『幸田……』聽起來竟像是從遠方傳來的歎息。

恢復意識之後，開始覺得有點兒冷。雖然身上蓋著厚重的棉被，仍冷得不停發抖，忍不住叫著：『好冷！』

桃子用玻璃杯倒了一杯溫過的伏特加，幫他灌進嘴裡，結果有半杯溢了出來。

『因爲失血，所以覺得冷。』桃子說。『不過，你很快就會暖和起來的。』

『被打到什麼地方？』

『右肩，肩骨下面，子彈已經拔出來了，骨頭有一點兒碎。』

『爲什麼不痛……』

『因爲我幫你打了一點兒嗎啡。』

『你怎麼會有那種東西，你好像什麼東西都有！』

雖然窗簾緊閉著，但是仍然可以看出天色已暗了。房間裡還留著極濃的血腥味。

『那個男人那裡去了？還留在門邊嗎？』

『我用毛毯包起來，放進壁櫥裡了。』

『……是北邊的傢伙嗎？』

『是的。』

『那麼……我們最好趕快離開這裡。』

『幸田，你現在能動嗎？』

桃子扶起幸田，方式很奇怪，只用右手將幸田挾著。桃子發出牙顫的聲音，笑著說：『被打中的地方和你一樣。』

問他有沒有關係，桃子只是默默點頭，提了手提袋，將那把六十四式手槍留在桌上。桃子說：『物歸原主吧！』

幸田將錢和護照，還有換洗的襯衫、內衣和一件毛線衣放進袋子裡，以及望遠鏡、一頂鴨舌帽、一把螺絲起子和一把小刀；又從洗手台上拿起一支牙刷和洗髮精。因爲白天買了一個壽司盒和牛奶，他打開這些食物，勉強自己吃一點，否則明天可能沒有力氣作戰。

桃子先出去，幸田遲了幾分鐘之後才出門。門鎖在白天已經被槍打歪了，所以根本用不著再上鎖。走在前面的桃子經過片山町的斜坡，往出口町的方向走去。

穿過電信局旁邊的巷子，就到了教堂的院子。教堂旁的集會所內所有電燈都關了，幸田打開玄關大門，這座教堂是完全依照二十四年前被燒掉的模樣改建的，連大門也完全一模一樣，幸田看見這扇門，彷彿看見了母親那件藍色裙襬。

建築物內的擺設和從前也完全相同。

桃子在最前排的凳子上坐了下來，幸田也坐在旁邊，桃子微笑地說：『終於來了！』幸田也想著『真的來了！』

幸田將剛才沒吃完的壽司和牛奶拿出來，和桃子分著吃。現在什麼也不去想，什麼也不去聽，雖然明天是決定勝負的日子，但是今天只希望能平靜地度過。肩上的槍傷一點兒都不覺得疼，大概是嗎啡的效力吧，不過，還是覺得非常冷。

看看手錶，已經是凌晨一點了，桃子已經靠在椅背上閉起眼睛了。幸田雙手抱在胸前，很快地睡著了。

十二月十六日，星期六，上午六點半。

幸田又被凍醒過來，一醒來就連著打了兩個噴嚏。

桃子的頭垂靠在他的左肩上，幸田很快地察覺到這並不像正常人的肉體，放在膝上的手已經有些冰冷。幸田拍拍桃子低垂的頭，沒有絲毫反應，而且他的雙眼是睜開著的，掉了口紅的雙唇變得蒼白毫無血色。

幸田悄悄地將肩膀移開，一動身子，右肩就像噴火似的，全身痛得發狂，腦袋瓜裡一片空白。他提起桃子腳邊的提袋，在裡面翻找著，記得桃子昨天說還剩下一點點嗎啡。幸田從袋子最底下找到一個針筒，不管它是不是嗎啡，拿起來就往自己的右手臂上打去，果然不到一分鐘，疼痛立刻消失了。

幸田拉開桃子的夾克拉鍊，又將毛衣從肩上脫下來，血跡早已沁出襯衫，四周的皮膚都變成土黃色了。流血的情況並沒有比自己嚴重，而且背後找不到任何血跡，大概是子彈還留在身體裡面吧。

幸田想將桃子的雙手合起來，但是早已僵直得動彈不得了，甚至連眼皮都合不起來了。幸田再度從桃子的提袋裡拿出嗎啡和注射筒，放進自己的袋子中。

他知道必須趕快離開這裡，因爲這裡不是他可以久留的地方。這是一個迎接尊貴的死者進入天堂的地方，不應該有一個像他這種人的存在。幸田很快地跑出去，就像背後有人在推他似的，他反手將門關上。

上午七點，幸田又爬上了片山町的山坡，站在高台上的草叢中，挖出九月初埋在這裡的手槍。

朝陽照在黃褐色的屋頂上，屋頂閃閃發亮，朝日大廈煙囪冒出的黑煙直直往上升，今天是一個沒有風的大晴天。山腳下的街道上，頻頻傳來火車通過的聲音。

歲末一個晴朗的日子，在大阪即將發生一件世紀的大搶案。

4

《14：00》

野田將橫寫著電腦維修公司名稱的白色雅哥汽車，開進住田銀行的地下停車場。這時候停車場裡一共有十二輛車子，和平常的星期六一樣。其中有兩輛是職員的，五輛是部長、次長級幹部的私家轎車，四輛是顧客的轎車，一輛是大廈管理公司的營業車。户田次長的車子放在離出入口最近的車位上。

白色雅哥汽車的車底放置著各種破壞工具、子彈，還有兩個限時裝置。這是要用在共同溝的，接下來的幾個鐘頭野田要帶著走。

守衛室裡坐著兩位熟識的警衛，一位正在打電話，一位對野田說：『買不到年假回家的票。』打電話的那一位則說：『死了這條心吧！』無可奈何地聳聳肩。

『野田先生，家住在那裡呢？是大阪嗎？』

『看我這張臉像大阪人嗎？松田先生，你該不是喝多了吧！我的老家在神户。』

野田回答得相當得體，但是語氣卻無法像往常那般自然，他一邊努力裝出最自然的表情，一邊看著掛在牆壁上的工作分配表，現在這兩位警衛是『松田』和『長島』，兩小時前剛交班的，他們的工作時間一直到下午十點。守衛室裡面的門和往常一樣敞開著的，可以看見中央保安室。有一個男人坐在顯像器前的旋轉椅上，背對著大門，除此之外沒有任何人。

『原來你是神户人，難怪那麼時髦。』松田將訪客紀錄放在門口，野田填上姓名、公司名稱、時間。

然後野田就提著公事箱，搭電梯上地下一樓的電腦室。

《17：15》

從大正區泉尾四丁目的市營停車場開出的四噸卡車，停在泉尾十字路口等紅燈。駕駛座上的北川好像從早上開始就一口氣開了數百公里一樣，屏氣凝神。

從早上八點多，接到幸田打來的電話，他就激動不已。桃子死了？幸田也被槍傷？這到底是怎麼回事呢？

最後北川跑到車站前的藥房，買了一瓶五千元的精力劑，又到另一家藥房買消毒液和繃帶。最後才打電話給野田，再連絡一遍，時間不到下午兩點。

然後，接到幸田的第二通電話，告訴他：『沒事！』雖然北川一再要自己鎮靜，但是仍激動得靜不下來，準備好後從公寓出發。

北川現在已經穿上了電梯維修公司的藍色工作服了，他相信幸田應該也已經向中之島變電所出發了。如果幸田受傷成不了事，只剩下自己一個人，那就對不起了，我可不幹。

過去實在完全看錯人了，桃子是一個好人，直到他被射死的今天，北川才真的瞭解他。

燈號變了，北川用力按了一下喇叭，前面的兩輛車子才慢吞吞地開走。

《17：20》

除了上午和下午各打一通電話給北川之外，幸田一整天都沒有離開土佐堀遊河人行道旁的板凳。上午跑到公共廁所打了一針嗎啡，有輕微的嘔吐現象，到了傍晚已經覺得舒服多了。

腦海裡所想的盡是中之島變電所的每一項設施，還有安裝炸藥的順序，這是桃子教過他好幾次的，應該不會出錯吧！桃子，沒問題。交給我來辦。

《17：26》

幸田拐過田蓑橋走出停車場，越過鐵柵，打開工作口，取出藏在這裡的三只紙袋子。

《17：30》

幸田接著來到變電所車輛出入口旁，這裡他以前也和桃子一起來過。他手上拿著一支別針，只花五秒鐘，就將鎖打開了。變電所的停車場和變電所之間，隔著一道五十公尺的水泥牆，幸田將兩只紙袋背在肩上，右手完全沒有力氣，只靠左手支撐著爬上去。爬過有刺電線，跳進變電所裡面，幸田簡直不敢相信自己的能耐。

《17：41》

找到事先計畫討論好的炸彈安置處，幸田從紙袋中取出母線，依照桃子所教導的方式安裝好之後，再回到一樓。

《18：15》

回到時限裝置。看看手錶，距離十六分還有五秒，等五秒鐘過後，將計時器轉到一〇四分的位置，通電時間是下午八點整。

《18：30》

幸田用垂在牆邊的繩子，在腰上緊緊地纏繞兩圈，然後攀住繩子爬上去。這項工作非常花時間，幸田好不容易才爬過這座圍牆。當他抵達停車場時，忍不住心中大叫：『桃子，你看到了嗎？我成功了！』

《18：32》

北川在北濱四丁目的工作口四周，放置了五個工程用的夜間燈號標識。『大阪市指定業者．北野組』的卡車就停在路旁。住田東側停靠了兩輛保全公司的車子，還有一名夜警，他瞧了北野組的車子一眼，然後毫無興趣似的將視線移開。

《18：35》

北川發動卡車引擎，駛過住田的地下停車場，在距離土佐堀川十公尺前，阪神高速公路下面，停了下來。

北川拿著一個手提箱，走下卡車，走過錦橋旁的派出所，他看看手錶，身體毫無理由地顫抖。當他走上肥後橋時，看見對岸的人行道上有一個戴著毛線瓜皮帽的人，北川凝神注視著他，然後快步地跑過去。

『進行得還順利吧？』北川問，幸田濕潤著眼點點頭。

北川鬆了一口氣，在肥後橋旁叫了計程車，和幸田一起搭到日本電梯維修公司大阪分公司。

《18：50》

野田在住田地下一樓廁所的馬桶上坐了五分鐘，每次一緊張就肚子痛，這個毛病大概一輩子改不了了。

從廁所出來後，野田趕緊衝入從六樓下來的第一號電梯，門關上後到抵達地下二樓。只有三秒鐘的時間。

野田開始照老頭教他的方法，在電梯上動手腳，今晚的勝負全靠這三秒鐘了。

一個清脆的聲音響起，野田知道他成功了。

松田從守衛室的窗口探頭出來，說：『野田，怎麼了？』

『這個電梯好像壞掉了，門已經關不上。』野田說。

『真的嗎？這下子可就麻煩了。』

松田從守衛室走出來，野田在訪客登記簿上寫好離去時間，另一位保全人員坐在轉椅上不停地左右轉動著身體。

《18：55》

野田走到停車的位置，翻遍身上所有的口袋，然後又朝守衛室走去。監視器應該正在看著。

『野田，怎麼又回來了？』松田說。

『車子的鑰匙不見了。』

『怎麼這麼糊塗呢?再仔細找找看!』

『我已經找過了,公司裡還有一把鑰匙,明天是星期天,今晚可不可以暫時借放一下!』

『你也實在太浮躁了!』松田一邊笑著,一邊拿起電話,野田慢慢地走出停車場,聽見松田對著電話說:『這裡是住田總公司,我們的電梯壞了,請趕快派人過來修理……』

《19:00》

野田爬上樓梯,從東玄關離開住田。走到屋子外面,和平常一樣,保全公司的車子停在那兒,警備一個人在街上走來走去。覺得一股冷氣直逼過來,再加上剛才緊張得背都濕了,所以現在不停地發抖。

《19:28》

一輛電梯維修公司的公務車駛進停車場,老頭探頭出來說:『這個時候?怎麼了?故障嗎?今晚已經修第三家了。』

停車場的遮斷機升起,公務車緩緩地滑進去。

北川和老頭從車上走下來,北川檢查着必須攜帶的工具。

『幸田,裡面有照相機,看我的手勢行動。』北川說著,將車門輕輕關上,但是沒有關緊。

老頭已經提著工具箱往守衛室走去了。

《19：30》

『你不是岸口老先生嗎？』守衛松田問。

坐在顯像器前面的保全人員也回過頭來說：『聽說你已經辭職了？』

『是呀！不過晚上兼點差，賺些生活費！』老頭接著對北川說：『到上面機械室看看！』

於是北川將『維修中』的牌子掛在第一號電梯口，搭第二號電梯上樓。老頭從保全人員手中接過一整套電梯鑰匙，走向第二號電梯。

《19：38》

北川再搭第二號電梯回到地下二樓，問守衛室裡的松田：『請問中央機械室在哪裡？』『就在右邊裡面。』松田用手指著說。北川點點頭說：『謝謝！』當然北川沒有去，手握著扳手站在守衛室入口旁。

《19：40》

守衛室裡電話鈴響起：『喂！沒辦法？四台都是？好吧，反正只剩六樓的海外部而已。牌子？喔，知道了，我現在就去掛。』

松田帶著他走過守衛室和廁所中間的通道時，北川使勁從他的後腦一敲。松田當場昏倒。北川將他拖入廁所。

這時候坐在守衛室裡的另一位警衛長島，眼睛仍然直盯著報紙。

《19：43》

守衛室的電話鈴聲再度響起，長島接起電話，說：『什麼事？老頭，松田出去掛牌子了，你請等一下！』

長島從窗口望著電梯看了一會兒，說：『有點兒奇怪，我出去看看！』掛上電話後，長島就走出守衛室，站在門邊的北川當然不能錯過這個大好機會，又給他致命的一擊，長島立刻昏倒。北川還是把他拖進廁所。現在停車場內的四台顯像器已經沒有人在監視了。

《19：56》

幸田看到北川的暗號後，從公務車上下來，走到野田的雅哥汽車旁，打開行李箱，取出定時炸彈。

北川在五公尺遠處，向他揮揮手，並做出暗號：『一分鐘後。』

幸田屏氣凝神地看著秒針，一分鐘後，果真爆炸了！

《20：06》

空無一人的保全室，電話鈴聲響個不停。

守衛室對面的樓梯口傳來一陣腳步聲，北川假裝在電梯裡修理著。腳步聲停止後，只見到一位身穿藍色保全公司制服的職員問：『松田和長島哪裡去了？』

『你是說守衛先生嗎？他們剛剛出去了。』北川說。

『哦……！大概去中之島看熱鬧了，這些傢伙真沒出息！』

『中之島怎麼了？』

『我也不清楚，聽說那邊發生火災了。空無一人的守衛室會讓小偷看笑話的。』

保全人員說著，又跑上樓去。

北川看看手錶，現在只等户田次長出現了。

《20：12》

約好八點半在北新地料理亭見面，户田如果十五分鐘後再不下來，他可能就遲到了。

萬一户田和一位保全人員一起下來的話，北川和幸田二人對付一個也是綽綽有餘的。

《20：19》

腳底一陣激烈的搖晃，下一瞬間傳來一聲巨大的爆炸聲，地下共同溝已經爆炸了。北川直覺地看看手錶，八點十九分，比預定時間早十一分鐘……。

野田這個混帳，到底在搞什麼鬼呢？

北川跑了出去，連一秒鐘也不敢猶疑，他先到雅哥汽車旁將剩下的繩索和工具箱一起抱走，然後跑到機械室，幸田還留在機械室裡。

『幸田，快一點，共同溝已經炸了，我們大概找不到户田那個傢伙了，只有靠自己吧！』

幸田將母線和定時裝置連結起來，他問：『時間要設定在幾分鐘以後呢？三分或兩分？』

『一分。』北川說。

設定好之後，一起跑進第一號電梯，將門關上。電梯裡早已擠滿了東西，連腳都沒地方放。

北川對幸田說：『不要動，現在出去會被紅外線照射到，等電源都切斷再說。』

還剩十秒鐘就爆炸了，八秒……。

《20：25》

電梯裡也可以感受到強烈的震動，好像炸源就在自己的頭上似的。現在除了電梯以外，住田內的所有電力全消失了，電腦也停止了，連警報器和紅外線探測機都失去功效了。

『走吧！』

一人拿著一把手電筒，下一個目標是金庫。

天哪！這會是真的嗎？滿滿一金庫的黃金，雖然只打著手電筒，仍然耀眼得叫人睜不開眼睛，每一塊黃金上都刻著〈TANAKA TOKYO〉〈SUMIDA TOKYO〉或〈ARGOR〉等出品標識，重量表示也是每一塊都是〈1 KILO〉，等級是〈999.9〉。

『要拿幾塊？』北川說著，聲音在顫抖。

『五百塊。』

『五百零一塊吧！我和你，還有野田，三個人平分，一個人拿一百六十七塊。』

『好吧！』

北川拿出十個裝金塊的帆布袋，每一個布袋裝五十塊，這其實也是一項極浩大的工程。

地下二樓已經一片火海，中之島也燒起來，共同溝也發生大火災，到處都有火災發生，沒有人會注意到地下三樓的金庫正發生搶案吧！

《20：42》

北川拿起最後一塊金塊之後，一刻也不休息，拉著幸田往電梯跑去。他們在地下三樓停留的時間還不到二十分鐘。

《20：45》

電梯的門又關起來了，北川按了七樓的按鈕，電梯緩緩往上爬。

到了七樓，才發現地面上的警笛大作，警報器的紅燈也閃爍不停。決定沒有桃子照常執行計畫時，就已經放棄了地下停車場的雅哥。

北川打開西邊的門，夜晚的寒氣、煙霧和微微的熱風，一起流竄進來。北川看了忍不住大叫：『幸田，燒起來了，整片天空都燒成紅色了。』

幸田將裝著金塊的袋子放進台車，野田從『北野組』的卡車下伸出頭來又再度躲到車體下。

『幸田，你先下去，我留在這裡收拾善後。你現在的身體撐不了這裡。』

幸田沒有回答，開始將繩索往下面丟。北川搶過繩索說：『趕快下去！』

幸田像平時一樣平淡的說：『在下面接貨的工作較吃力，而且沒時間換下制服，大門也過不了。你快下去準備接貨。』

北川看著幸田盯著背後機械室的雙眼，終於意會到幸田的心意。

『老頭還在裡面，別忘了將他一起帶出來。』幸田說。

北川點點頭，『知道了，交給我吧！』

兩人輕輕的握了手，北川回頭下了樓梯。

《20：58》

北川一口氣從七樓跑到一樓，在住田的中央大廳有數十位住田的職員和穿制服的警察。和一位職員四目相接時，『可以借用一下電話嗎？』北川大聲叫著。『用什麼電話，所有的線路全毀了。』有人大聲回答著。身穿電梯維修公司制服的北川，夾在擁擠的人潮中，往東玄關走去。

《20：59》

將所有裝金塊的帆布袋子丟進卡車裡之後，幸田左手握著手槍回到大樓裡。從電梯旁的樓梯爬上機械室，天花板上垂著一條繩索，那上頭吊著人的脖子，伸直了的黑色的背和手腳顯得細長。幸田看了一會兒，岸口先生！原來你一直都在騙我，你就是那位神父。教堂燒了後，還了俗爲自己的兒子去坐牢。爬到屋頂上，在這裡看不到一位警察，南邊的北濱四丁目有一整排消防車；在地下停車場的西南角，看見了快步走出來的北川。

《21：02》

北川爬上卡車時，從車底下爬出來的野田打開駕駛座的車門，往上揮了兩次手。

幸田陸續將十個箱子不偏不倚的丟到卡車車台上。

《21：03》

幸田左手抓住繩子，整個人爬到窗户外面。警笛聲仍然不停地響著，好像群眾的怒吼。他手抓緊繩子，慢慢移動身體。雙腳頂著大樓牆壁背對著外面，一次又一次踢牆、懸空跳躍，慢慢的六樓、五樓……往下跳。卡車上的北川對他大叫著，從左手抓握的繩子傳來一陣震動。接著，他的身體毫無力氣地掉在卡車上。

『快一點！其他的不管了，快逃！』

北川扶起掉下來的幸田，叫野田發動卡車引擎。『快走！快走！』北川大吼著。卡車一口氣駛出了土佐堀大道，野田回過頭來問：『没事了吧！』

船在夜裡駛離了舞鶴港。二十個紙箱子上寫著『農協蘋果』，野田大唱著『大阪城姑娘』，一連喝了兩天酒，野田的聲音早就嘶啞了。

『喂！幸田，你知道野田拿了這些錢之後要去哪裡嗎？我告訴你，他打算去新加坡，因爲那裡有一個女人在等著他呢！兩個人交往不到半年，他就決定拿著大把鈔票和銀子去給那個女人，我真爲這些金塊感到可惜。不過他建議我去投資股票，這倒是一個可行的辦法，只是我還沒有想好究竟要買哪一股……』

北川說著，幸田並沒有認真在聽，只當他是酒喝多了，在說醉話。

『你打算去哪裡呢？非洲或是西伯利亞？你以前說過，只要是人少的地方，哪裡都可以，你真的想去這種荒涼的地方嗎？』

北川握著幸田的手，但是幸田毫無反應。再加了力才感覺到對方的回握。

野田的歌聲已聽不到了，卡車的引擎聲和周圍的各種聲音在耳際響個不停。會被載到那裡去？一片新的土地在等著自己。

對了，桃子。我想和你聊聊神的國度裡的事情。我想和你談談知心話……。

日本金榜名著

多年來感謝各位讀者的熱烈支持，黃金金榜名著得以在八十年底，以第80本告一段落。新的一年，我們將為您推出精心策劃的新系列，相信會為您帶來不同以往的驚喜，敬請期待！

1.卡迪斯紅星 逢坂剛著
1987年日本『直木賞』得獎作品　上下兩册定價NT250・HK60
一把失踪多年的吉他，鑲著價值連城的鑽石——卡迪斯紅星……

2.遙遠的美國 常盤新平著
1987年日本『芥川賞』得獎作品　定價NT130・HK33
重吉嚮往美式的文學與生活，遍讀美軍留下來的書籍，但是……

3.花園謎宮 山崎洋子著
榮獲第32屆江戸川亂步推理小說獎　定價NT130・HK33
一連串的命案發生在橫濱妓院中，咚實決定替好友洗清冤屈……

4.雪的告白 三浦綾子著
『冰點』作者的最新文藝力作　定價NT90・HK27
清美是個不知道自己父親是誰的私生女，有一天她收到禮物……

5.最北方的藍色特快車 西村京太郎著
在下行的天北號列車中，隔座的女人突然向矢代求救。她在怕什麽呢？突然，她衝向其他車廂，自此消失……　NT100・HK24

6.要命的訂婚旅行 山村美紗著
由美是在銀行工作的清純女孩，某日銀行最大客戶的小開突然向她求婚，但是她發現其中另有重大的秘密……　NT120・HK29

7.葡萄酒街的驚悚 平岩弓枝著
有里子是酒館的女老闆，每年都要去德國葡萄酒街旅行。今年，在萊茵河畔的旅館裏，深夜中房門外傳來……　NT110・HK27

8.飛翔警察 胡桃沢耕史著
岩崎家裏一個月給他的零用錢比薪水還多數倍，他却選擇進入警視廳工作，憑著敏銳的頭腦，令他的手下……　NT100・HK24

9.寫給愛人的信　連城三紀彥著
1985年直木賞得獎作品　定價NT100・HK25
結褵十載的丈夫離家去投奔罹患絕症的愛人，兩個女人竟然……

10.屬於我們的時代　栗本薰著
榮獲第24屆江戶川亂步推理小說獎　定價NT120・HK33
三個喜愛搖滾樂的大學生，利用課餘在電視台打工，却被捲入……

11.不離婚的理由　渡邊淳一著
1987年日本小說排行榜第一名　定價NT120・HK33
今天修平提早結束與情婦的約會，回到家却發現太太不在家……

12.一個不祥的小女人　青島幸男著
1981年直木賞得獎作品　定價NT100・HK27
她被認爲命中剋夫還帶犯火，果然她的丈夫被徵調中國作戰……

13.鍋之中　村田喜代子著
1987年芥川賞得獎作品　定價NT100・HK27
四個孫子到鄉下，與八十歲的老奶奶共度暑假，她的記憶却……

14.靈魂音樂・只有情人　山田詠美著
1987年直木賞得獎作品　定價NT100・HK27
卡迪斯是俱樂部的DJ，女人爲他痴狂，她們稱他作『冰』……

15.要命的離婚旅行　山村美紗著
『要命的訂婚旅行』暢銷姊妹作　定價NT100・HK27
她是風華絕代的女明星，在多采多姿的愛情背後，發生命案……

16.床上的眼睛・蝴蝶的纏足　山田詠美著
1985年日本文藝獎得獎作品　定價NT110・HK30
她相信戀愛是生活中不可或缺的要素，史奔不是她的第一個愛……

17.虛構之家　曾野綾子著
深刻描繪現代家庭問題衝擊話題作　定價NT120・HK33
她們都擁有一個令人稱羨的家，誰知道她們都活在謊言之中……

18.俘虜　胡桃沢耕史著
直木賞得獎作家精心力作　定價NT110・HK30
身爲俘虜，他唯一的選擇只有逃亡，因爲他要活著回到祖國……

19.傑西的背骨・手指的遊戲　山田詠美著
震撼日本文壇最具爭議性大膽傑作　定價NT100・HK27
露子曾經放棄利洛易的愛，如今却止不住地思念他那有力的……

20.如果趕上最後一班機　林眞理子著
1986年直木賞得獎作品　定價NT110・HK20
札幌的最後一夜，美登里突然想起分手了七年的男友，如果………

21.情人畫布　　山田詠美著
直木賞得獎作家最新力作　　定價NT110・HK30
絲絲在衆多的追求者之中選擇了他，因爲唯獨他瞭解叛逆的……

22.奪命特快車　　西村京太郎著
鐵路推理暢銷傑作　　定價NT130・HK35
山陰線特快車上的謀殺案，唯一涉嫌的是正在度蜜月的新郎……

23.要命的再婚旅行　　山村美紗著
繼訂婚、離婚旅行後最新殺人事件　　定價NT120・HK33
他是再婚，她可是珍貴的第一次。洞房花燭夜後，身旁的他……

24.勁風下的彎道　　石井敏弘著
1987年江戶川亂步獎得獎作品　　定價NT120・HK33
芹澤從小就是孤兒，當他知道自己有一個妹妹時，她已被殺……

25.奪命十角館　　綾辻行人著
特別推薦傳統派推理最新力作　　定價NT130・HK35
七個人來到孤島探訪，誰知道預先佈置好的死亡陷阱正等著他們…

26.太陽的季節　　石原愼太郎著
轟動全日本改編電影名作　　定價NT110・HK30
在『太陽族』的規則中，愛情不過是一種調劑，但是龍哉却……

27.最後的樂章　　阿部牧郎著
1988年第98屆直木賞得獎作品　　定價NT100・HK27
一位熱愛文學、古典音樂與棒球的少年，對周遭世界的探索……

28.雪舞之戀　　芝木好子著
嘔心瀝血，凄艷戀情絶作　　定價NT150・HK40
十年的青春所澆灌的愛情，一個美麗的舞者和天才畫家相遇……

29.靜物　　池澤夏樹著
1988年第98屆芥川賞得獎作品　　定價NT100・HK27
因盜走公款而躲藏了五年，現在，他想做股票賺錢償還……

30.長男出家　　三浦清宏著
1988年第98屆芥川賞得獎作品　　定價NT100・HK27
長子出家當和尙了，妻子和我原本以爲以後仍然可以常見面，但是…

31.七億新娘　　井沢滿著
轟動一時的NHK連續劇原著小說　　定價NT110・HK30
父女鬪氣相約同時結婚，不料却雙雙遭到屬意的對象拒絕之窘事…

32.香港迷宮行　　山崎洋子著
山崎洋子最新傑作　　定價NT110・HK30
香港之旅的團員在旅程之中，扮演的不是遊客，而是殺手……

33.占星惹禍

島田莊司著

最受日本大學生喜愛的推理小說　定價NT120・HK33

計畫殺害六名少女的兇手，却比六名少女早一步死亡，到底……

34.日光迷雲

內田康夫著

旅情推理傑作　定價NT100・HK27

日光的華嚴瀑布發現了一具白骨，那可能是失踪的牧場二少爺……

35.飛越三十八度線

落合信彥著

新聞諜小說1988年暢銷之作　定價NT110・HK30

一九八八的漢城奧運，是南北韓的另一個戰場，贏家是誰呢？

36.結婚前線

落合惠子著

日本傑出女作家之作　定價NT120・HK33

麻田愛慕著上司高谷直子，這場戀愛勢必談來辛苦……

37.大亨遊戲

三口洋子著

直木獎女作家鉅作　定價NT100・HK27

日落之後，『三角洲』酒廊的霓虹燈，也在繁華的銀座閃耀……

38.小暢的夢

佐藤繁子著

NHK 高收視率連續劇原著　定價NT 100・KH 27

大戰之後，小暢來到東京工作，為了實現理想，她接受挑戰……

39.安全卡

星　新一著

名家短篇傑作　定價NT110・HK30

十六個奇怪的故事，讓你覺得自己的正常似乎是一種不正常………

40.遠海來的COO

景山民夫著

1988年第99直木賞得獎作品　定價NT120・HK33

自從洋助從海邊抱回小蛇頸龍 COO 之後，他的世界就變複雜……

41.迷路館殺人

綾辻行人著

撲朔迷離的傳統派推理　定價NT130・HK36

到迷路館比賽寫小說的作家們，一個個照自己所寫的內容死去……

42.尋人時間

新井滿著

1988年第99屆芥川賞得獎作品　定價NT100・HK27

在混亂的人生當中，他要找的不是別人，而是失落的自己……

43.冰凍的眼

西木正明著

第99屆直木賞得獎作品　定價NT100・HK27

他的眼神有如冰雪嚴冬，讓良子完全跌入失望的冰窖之中………

44.再見，海女

椎名誠著

名家暢銷作　定價NT100・HK27

聞著海風的氣息，聽著浪濤的聲音，那些海邊的女人們如今……

45.夢幻舞蹈會 菊地秀行著
暢銷作家精采科幻力作 定價NT100・HK29
在時空交錯，夢幻與現實重疊的小鎮裏，雪江不知該何去何從……

46.有人不見了 夏樹靜子著
名推理女作家之作 定價NT130・HK39
桶谷遙受邀上船做一項航海旅行，沒想到一上船，生命即受威脅…

47.吃人劇場 皆川博子著
第三十八屆日本推理作家協會賞得獎作 定價NT100・HK30
十五年前，舊劇情『桔梗座』發生驚人的命案，如今危機再現……

48.情海沈浮 田邊聖子著
定價NT110・HK33
唯丈夫之命是從的阿明，同時愛上三個男人，陷入洶湧的情海之中

49.大橋雨中圖 杉本章子著
第一百屆直木賞受獎作品 定價NT120・HK36
清親爲了生活而去當搬運工，但是他的繪畫天分還是被發掘了……

50.橫濱神秘骨牌 山崎洋子著
充滿懸疑、神秘、人性的傑作 定價NT110・HK33
少女用她那灰藍色的瞳孔，俯視著一具被染成妖豔粉紅色的屍體……

51.由熙 李良枝著
第一百屆芥川賞得獎作品 定價NT100・HK30
由熙從日本回到韓國，想證明祖國並不是父親所說的那麼壞，但是…

52.我愛厨房 吉本巴娜娜著
1989年日本最受歡迎的新銳女作家 定價NT100・HK30
祖母死後，我被田邊雄一母子收留，然而這個母親其實是個男人…

53.麵包屋再襲擊 村上春樹著
精銳小說家短篇傑作 定價NT120・HK36
奇怪的飢餓感猶如惡魔的詛咒，使我和妻子決定今夜再搶麵包店……

54.畢業前殺人遊戲 東野圭吾著
校園推理傑作 定價NT140・HK42
祥子死得莫名其妙，波香也在大家舉行茶會時，死在衆人面前……

55.異國來的殺人者 笹倉明著
第一〇一屆直木賞得獎作品 定價NT130・HK39
來自遙遠國度的女人，殺了與她同居的小混混，理由是……

56.榮光遠去 落合信彥著
日本國際派小說家暢銷鉅作 定價NT130・HK39
越戰英雄的故事，石油大亨的冒險，及巴勒斯坦殺手的往事……

57.談一個像電影一樣的戀愛　林眞理子著
林眞理子暢銷短篇小說集　定價NT 120・HK 36
『談一個像電影一樣的戀愛』可以滿足你當主角的願望。……

58.背德的詩集　森村誠一著
文壇巨匠傾力之作　定價NT 130・HK 39
他有三個女朋友，但是爲了追求榮華，勢必要有所取捨。他決定……

59.維莉・哀傷之女　五木寬之著
哀怨女人的故事　定價 NT100・HK30
五木寬之筆下的女性，總是那麼清楚動人，讓人不得不感嘆……

60.瘋狂殺人喜劇劇團　長坂秀佳著
第三十五屆江戶川亂步賞得獎作品　定價NT140、HK42
『榎健殺了榎健』？怎麼回事？天王喜劇演員眞的殺了他自己？……

61.那一天，你……　藤堂志津子著
直木賞作家的愛情新作　定價NT110、HK33
郁子深愛勇介，勇介却一點也不知道。愛一個人十年，會不會太長……

62.電視國民　村上春樹著
村上春樹最新暢銷新作　定價NT120、HK36
三個電視國民無聲無息的將一架電視搬進我家，一聲招呼也不打……

63.龍在中國　西木正明著
『龍在中國』電影原著小說　定價NT140、HK42
是日裔中國人的命運，是紅衛兵的命運，是林朱成的命運……

64.暗殺戈巴契夫　落合信彥著
國際派作家的國際鉅著　定價NT150、HK45
他是共產國家人民的希望，却是共產國家獨裁者的眼中釘，於是……

65.被我殺害的少女　原尞著
1989年第一〇二屆直木賞得獎作品　定價 NT150、HK45
私家偵探變成綁架天才少女的兇嫌？這是事實？還是誣賴？

66.貓婆婆的街　瀧澤美惠子著　定價 NT130・HK39
日本102屆芥川賞得獎作品・第69屆文學界新人賞得獎作
惠里子三歲，獨自坐著飛機從美國飛回日本，投靠語言不通的阿姨…

67.雲母戒指們　藤堂志津子著　定價 NT150・HK45
32歲的她們，目前都還獨身，並沒有放棄結婚的願望……

68.後宮小說　酒見賢一著　定價 NT140・HK42
日本第一屆幻想小說大賞得獎作
先帝駕崩，新君即位後的第一件大事，就是成立新的後宮……

69.劍道殺人事件　鳥羽亮　著
1990年江戶川亂步賞得獎作　定價 NT170・HK52
選手在比賽中被殺死了，奇怪的是，竟然沒人看見兇手是如何行兇…

70.村的名字　辻原登　著
第103屆芥川賞得獎作品　定價 NT120・HK36
中國的湖南省眞的有個叫桃花源的村子，但是現代桃花源却是……

71.蔭桔梗　泡坂妻夫著
第103屆直木賞得獎作品　定價 NT150・HK45
章次是專門爲和服描繪紋章的上繪師，他和賢子的愛情……

72.黃金泡沫的愛情　林眞理子著
直木獎女作家暢銷之作　定價NT130・NK39
人生如戲，愛情如泡沫；爲愛情獻身，換得的却是……

73.愛在地球毀滅時　新井素子著
一本驚人的小說　定價　NT150・HK45
地球卽將毀滅，所有的人都瘋狂了……

74.戰場上的小夜曲　田中芳樹著
科幻暢銷力作　定價　NT150・HK45
擁有超能力的少女，爲慘遭戰爭蹂躪的族人展開復仇計畫……

75.無印結婚物語　群洋子　著
十二個婚姻的故事　定價　NT120・HK36
洋溢著『夢想』與『慾望』的婚姻，原來不過如此……

76.開普敦來的信　西木正明著
『龍在中國』作者又一力作　定價　NT140・HK42
一封蓋著開普敦郵戳的短函，讓我再次見到那一對奇異的友人……

77.N・P　吉本巴娜娜著
暢銷作家最新長編小說　定價　NT130・HK39
『N・P』是一本短篇小說集，屬於這本集子的第九十八篇小說是……

78.懷孕日記　小川洋子著
日本芥川賞最新得獎作品　定價NT110 HK33
住在懷孕姊姊家的未婚妹妹，用巧思妙文寫下姊姊懷孕的過程……

79.婚紗與紅玫瑰　田中芳樹著
日本星雲賞得獎作者科幻力作　定價NT140 HK42
紅玫瑰—保護吸血鬼的國際性組織，可是世界上鮮有人知……

80.抱著黃金飛翔　高村　薰著
第三屆日本推理小說大賞得獎作品　定價NT130 HK39
案件的起承轉合中，令人悸動的却是悲歡離合的無奈……

〈註册商標第173155號〉

皇冠叢書第一九七六種

抱著黃金飛翔

作者◉高村 薰 譯者◉許珀理
發行人—平鑫濤
出版發行—皇冠文學出版有限公司
台北市敦化北路一二〇巷五〇號
電話◉七一六八八八八
郵撥帳號◉一五二六一五一—六號
登記證—局版臺業字第五〇一三號
責任編輯—高淑玲
美術編輯—吳慧雯
校對—劉秋娥・謝慧珍・洪正鳳
印刷者—三文印書館有限公司
台北市西園路二段二七九—二號
電話◉三〇一四一七六
有著作權・翻印必究
如有破損或裝訂錯誤，請寄回本社更換
初版—中華民國八十一年元月
◉本社長期徵求大專駐校代表，
請附自傳歷照寄皇冠出版社企劃組

法雨山
普宜苑圖書館
捐贈者
購

國際書碼◉ISBN 957-33-0691-3
Printed in Taiwan
本書定價◉新台幣130元 港幣 39 元
《本社長期徵求日文翻譯，意者請寄歷照及譯作》